Trevisan, Lauro
O poder infinito da oração/ Lauro Trevisan – 100ª Ed. – Santa Maria : Editora da Mente, 2022.
184 p.
Atualizado com nova ortografia
ISBN: 978-85-7151-002-9

1. Espiritualidade 2. Psicologia 3. Motivação

EDITORA DA mente

Pedidos: Editora e Distribuidora da Mente
Rua Tuiuti, 1677 – 97015-663
Santa Maria – RS – Brasil
Fone: (55) 3223.0202 - Whatsapp: (55) 9 9932.5006
Email: mente@editoradamente.com.br
Site: www.editoradamente.com.br
Autor: laurotr@uol.com.br
Site do Autor: www.laurotrevisan.com.br
Rede Social:www.facebook.com/lauro.trevisan.35
vídeos diarios:

LAURO TREVISAN

O PODER INFINITO
DA
ORAÇÃO

100ª Edição

Editora da Mente – Santa Maria
2022

PORQUE VOCÊ VAI LER ESTE LIVRO

Não existe nada mais compensador do que descobrir as grandes forças que impulsionam o ser humano, a vida e o universo.

Quando você ouve falar que alguém rezou na hora do acidente e saiu ileso; que alguém estava condenado à morte, com câncer disseminado, e hoje está perfeito e saudável; que alguém caiu no mar, rezou, e conseguiu sobrepor-se às ondas durante mais de vinte horas, até ser salvo; que alguém rezou para chover, porque a seca estava dizimando a lavoura, e choveu; que alguém não tinha nada, rezou pedindo uma casa e já mora nessa casa; que alguém tinha trinta dias de vida, orou a Deus, e está melhor do que nunca; e tantos outros relatos incríveis – você não resiste a uma exclamação assombrada: Mas, como pode?!

Aqui você vai entrar em contato com a força mais poderosa do mundo - a força da oração – que é a soma do poder da mente, do poder da fé e do poder de Deus na criatura humana.

Não perca tempo.

Este é um livro diferente. Explosivo. Fantástico.

Ao ouvir falar de fenômenos grandiosos, milagres estupendos, resultados incríveis, manifestações incompreensíveis de forças poderosas – o mínimo que pode admitir é que onde há fumaça há fogo.

Não foi por nada que o Mestre Jesus revelou:

"Tudo o que pedirdes com fé, na oração, alcançá-lo-eis." (Mt 21,22).

FAÇA A SUA DESCOBERTA

Pode ser que a oração tenha, para você, gosto de comida sem sal, ou lhe signifique caretice, por isso evita frequentar lugares onde deva rezar.

Sabe por que isto ocorre?

Porque você está comendo a casca e jogando a banana fora.

Leia este livro, sem medo, sem preconceitos, sem tabus e sem dogmatismos.

Você é muito inteligente e, com certeza, aprenderá a essência deste fenômeno e alcançará com o dedo o botão que aciona a força mais poderosa do mundo.

Vamos! Em frente! Agora mesmo!

Você está a um passo da mais espantosa descoberta.

Não resista, porque este é o seu grande dia.

Parabéns.

ÍNDICE

CAPÍTULO 1
A ORAÇÃO

CAPÍTULO 2
A ORAÇÃO ATENDIDA

CAPÍTULO 3
A ORAÇÃO FALADA

CAPÍTULO 4
COMO ORAR

CAPÍTULO 5
ORAR NÃO É FAZER SACRIFÍCIOS E PENITÊNCIA

CAPÍTULO 6
SUA VIDA É A SUA ORAÇÃO

CAPÍTULO 7
A ORAÇÃO MAIS ALTA

CAPÍTULO 8
A ORAÇÃO CURA AS DOENÇAS

CAPÍTULO 9
A PRECE PRODUZ SAÚDE E BELEZA

CAPÍTULO 10
A ORAÇÃO ESCUTADA

CAPÍTULO 11
A ORAÇÃO ENSINADA POR JESUS

CAPÍTULO 12
AS PERGUNTAS DE CADA DIA

CAPÍTULO 13
ORAÇÕES

CAPÍTULO 1
A BUSCA DA VERDADE

Era ao fim da tarde.

Reunido na ampla varanda, o grupo tomava chimarrão e batia papo.

Chimarrão é uma bebida muito usada no Rio Grande do Sul e por muitas pessoas no Brasil. Coloca-se a erva-mate num porongo, de bela feitura, deixando-se espaço para derramar água quente. Através de uma bomba, geralmente de bocal de ouro, chupa-se o chá, devagarinho, aos goles. Isto é tomar chimarrão. Num ritual calmo e agradável, o chimarrão é servido para cada pessoa. Enquanto isso, a conversa vai andando.

Numa dessas, a dona da casa comentou que devia ir à igreja para participar de uma novena.

- Uma coisa que eu não entendo – disse um jovem – é por que rezar. Isso já me parece ultrapassado. Cheira à coisa da Idade Média.

- Muita gente reza porque aprendeu com os antepassados – comentou um senhor de meia-idade. – Eles rezavam, ensinaram os filhos, e os filhos continuam rezando. Acho que é uma coisa de hábito.

- Então, é parecido com aquela piada do guarda do banco do jardim do quartel.

- Conta – sugeriu o homem que estava tomando o chimarrão.

- Diz que o sargento-de-dia mandou pintar um banco do jardim do quartel. Para evitar que algum recruta menos avisado fosse sentar no banco, com a tinta ainda fresca, mandou um soldado guardar o banco. No dia seguinte, mandou outro soldado guardar o banco. O sargento foi transferido e seu substituto, ao examinar as ordens do dia anterior, continuou mandando um soldado guardar o banco. Depois de cinco anos que isso era feito, alguém quis saber por que havia sempre um guarda diante do banco do jardim e ninguém sabia explicar. Todo mundo tinha recebido ordens.

- Como piada, vale – interferiu a dona de casa. – A gente reza porque a oração é uma conversa com Deus. E a gente precisa rezar, senão as coisas se atrapalham.

- Está bem – aproveitou a mocinha de calça jeans – se a oração é uma conversa com Deus, por que se passa o tempo todo na igreja ouvindo os outros rezarem o que quiserem e não o que a gente quer? E por que é que se leem as orações que estão nos livros? Isso é conversa?

- Sim, mas a verdade é que a oração tem feito muitos milagres – defendeu-se a dona da casa. – Eu conheço pessoas desenganadas dos médicos que se curaram pela oração.

- Olhem – tornou o jovem que iniciou esse papo – eu até acho que rezar é uma superstição. Uma crendice que já não pode conviver com esse nosso século tão adiantado.

- Se fosse crendice – cortou um velho muito ilustrado – os cultos e estudados não rezariam mais. A verdade é que todo mundo reza, até mesmos os maiores cientistas. Você não ouviu dizer que tantos grandes cientistas de hoje rezam?

- Pois é – falou a jovem de jeans – mas, muita gente reza porque os padres, os pastores, os líderes religiosos mandam rezar e dizem que quem não reza não se salva. Mas, o que é que tem a ver a oração com a salvação? Pegue um livro de reza e veja o que é que está escrito. Entre num templo e examine o conteúdo das rezas.

- Sabem de uma coisa? – retrucou o velhinho. – O Mestre Jesus falou que tudo o que se pede na oração se alcança, e é por isso que eu vou orar. Entre ficar nesse papo de vocês, que nem sequer estudaram sobre a origem da oração, e o Mestre Jesus, fico com Jesus, pois ele sabia das coisas...

- É, pode ser! – resmungou alguém, encerrando o assunto.

AS ORIGENS

Onde quer que você esteja, sempre encontrará pessoas orando.

Quer você percorra os grandes conglomerados humanos, ou esteja no meio dos índios, entre os bárbaros, em regiões inóspitas, em meio a ignorantes, junto de médicos e cientistas, em companhia de professores universitários, sempre encontrará pessoas que oram.

Neste preciso momento há milhões de pessoas orando.

A matéria-prima de todas as religiões do mundo é a oração.

Desde a mais remota Antiguidade o ser humano reza.

Se realizo uma pesquisa entre o povo para saber porque cada um reza, surgirão muitas respostas assim:

- Rezo porque meus pais me ensinaram a rezar.

- Rezo porque aprendi na minha religião.

- Rezo porque minha catequista me ensinou.

- Rezo porque o padre ou o pastor disse que todos somos obrigados a rezar.

- Rezo porque senão eu não me salvo.

- Rezo porque é obrigação de todo cristão.

- Rezo porque sempre rezei.

- Rezo para que Deus me ajude.

- Rezo porque a Igreja manda rezar.

- Rezo para pedir a Deus alguma coisa.

A oração sempre existiu na terra, desde que chegou o primeiro habitante.

Se a prece fosse uma espécie de amuleto ou de superstição dos povos primitivos, hoje ninguém mais rezaria, porque a evolução da humanidade, através de tantos milênios, é realmente estupenda. Atualmente, temos uma compreensão muito maior do mundo mental, espiritual e cósmico.

Também, se a oração subsistisse apenas por ser ordenada pelos líderes religiosos, a ciência já teria derrubado essa obrigação.

O simples fato de ter o homem orado desde a idade da caverna, e essa prática persistir ainda nos dias de hoje, já significa que na oração existe algo de profundo, transcendente e irremovível.

Se a oração, na época atual, fosse apenas um resquício do mundo da ignorância, muito pouca gente estaria rezando. No entanto, o mundo continua orando mais do que nunca.

Hoje em dia, ninguém mais estaria usando uma prática que não tivesse sentido.

Antigamente, por exemplo, se pensava que a terra era plana; hoje ninguém mais diz isso. Antigamente, se afirmava que a terra estava parada e o sol girava em torno da terra; hoje, se sabe cientificamente que acontece exatamente o contrário. Não é porque a Igreja da Idade Média ensinava que a terra era fixa, que se deve continuar pensando assim, pois a ciência já provou que o nosso planeta se move ao redor do sol.

Assim, não é pelo simples fato de que antigamente se ensinava que o homem deve orar, que, hoje, todo mundo continuaria orando, mesmo que estivesse provado que a prece era um equívoco dos povos primitivos. Se a humanidade continua rezando, e cada vez mais, é porque a cada dia se comprova a utilidade e a necessidade da oração.

ORAÇÃO É CONTATO COM DEUS

Sabe-se que, no âmago da criatura humana, estão o Poder Infinito e a Sabedoria Infinita; ou, em outras palavras, está Deus, o Pai, o Eu Maior, a Fonte da Vida, a Presença Divina, a Energia Superior, a Luz Infinita, o Espírito Santo.

Não importa o nome que você dá a essa Presença; o que importa é o reconhecimento desta verdade.

Jesus dizia que dentro de cada um está o Pai: "E tu, quando orares, entra no teu secreto e ora a teu Pai, que está no secreto. E teu Pai, que vê às ocultas, te recompensará!"

O secreto é o seu interior.

Huberto Rohden, em seu livro "Jesus Nazareno", escreveu

que "a oração é um despertamento do Pai no homem, uma realização de Deus no homem, uma conscientização da presença de Deus no homem".

- Mas que Deus é esse que está em mim?

Como pode você querer uma resposta sobre o Infinito, sendo você tão finito, tão pequeno de compreensão? Se você pouco ou nada sabe sobre a origem da borboleta, da galinha, do ovo, da energia elétrica, da vida de um passarinho, que são seres com os quais tem contato permanente e pertencem às dimensões materiais do seu mundo, como quererá abranger Deus no seu raciocínio? Seria o mesmo que querer que uma gota de água contenha todo o Oceano Atlântico.

Como escreveu Rajneesh: "Não pergunte se Deus existe; pergunte se você existe."

Medite a sua realidade, a sua dimensão, e, por certo, tocará com a borla do seu manto as raias do Infinito. Mas, jamais alcançará o todo do Infinito.

Você reconhece Deus por você mesmo.

Masaharu Taniguchi escreveu que "hoje, como amanhã, o espírito de Deus está eternamente dentro de você, orientando-o e vivificando-o". (Acendedor, 1969).

O contato com seu Deus interior é feito pela oração. Esta é a linguagem da religião. Qualquer pensamento ou palavra ou imagem dirigido a Deus chama-se oração.

Assim escreveu Catherine Ponder: "A prece é o método de pensamento que liga Deus e o homem."

Pensar, falar, imaginar, redigir, cantar, sonhar, desejar, pedir, são atos mentais. Porém, se este pensar, falar, imaginar, redigir, cantar, sonhar, desejar, pedir, se dirigir a Deus – chama-se oração.

As leis da mente e as Leis Divinas têm a mesma origem – Deus.

AINDA SE REZA MUITO?

A oração é uma prática que pode ser relegada, esquecida,

postergada, desacreditada, contraditada, mas ninguém pode ter a certeza de que nunca mais orará.

A prece está além dos hábitos, das crenças, das convicções e das decisões.

De repente, avisam que seu avião está com pane e você, que não rezava há trinta e cinco anos, instintivamente pensa em rezar. E reza. Que impulso estranho é este que incita uma pessoa a rezar?

Se lhe disserem, hoje, que está com uma doença incurável, adiantada, e que a morte está próxima – deixará você de rezar?

O famoso presidente dos Estados Unidos, Abraão Lincoln, confessou o seguinte: "Muitas vezes fui levado a ajoelhar-me, pela avassaladora convicção de que não tinha outra coisa a fazer. Minha própria sabedoria, e a de todos à minha volta, pareciam-me insuficientes para aquele dia."

Catherine Ponder escreveu uma grande verdade, num de seus livros: "A prece é um dom inato no homem, e não uma prática estranha a ele e algo misterioso."

A oração é a linguagem natural deste ser humano-divino, chamado homem. Esta verdade se evidencia mais clara e dramaticamente na medida em que a criatura humana não encontra as soluções na sua mente racional e analítica.

Conta Spencer Kinard que "uma frase muito pronunciada por aqueles que voltam de uma guerra é: "Numa trincheira não existem ateus". E acho que podemos acrescentar – continua ele – como sugere o Hino da Marinha dos Estados Unidos, que também não existem ateus em navios que se afundam ou aeronaves com problemas. Quando ficamos com medo, quando ficamos preocupados com o futuro, e certamente quando nossa vida está em perigo, nós nos voltamos para o Criador, pedindo socorro e orientação. Que alegria e consolo saber que há alguém a quem recorrermos em hora de necessidade!" (O Valor de Um Sorriso).

Lembro-me da história, que me contaram, acontecida quando naufragou o maior navio do mundo, o Titanic, em sua viagem inaugural. Como era considerado um navio praticamente insubmersível, havia poucos botes salva-vidas. Segundo li, aproximadamente setecentas pessoas se salvaram e mil e quinhentas morreram por falta de botes. Enquanto o navio adernava em direção ao fundo do oceano, a orquestra reuniu-se no convés, com a multidão em pânico, e tocou a canção religiosa: "Mais perto do meu Deus".

Quando tudo estava perdido, o pensamento geral daquela gente voltou-se para Deus.

Nesses momentos cruciais da vida humana, vê-se que a oração nada tem a ver com obrigação, hábito ou tradição.

A oração é um dom inato, porque é a única via de ligação entre você e o Deus todo-poderoso e onisciente, que habita a sua mente interior.

A oração é a marca divina no coração humano. Por isso, você continua orando; as multidões continuam orando.

Mesmo que você se instale no alto da sua descrença, jamais poderá ter certeza de que um dia não rezará.

A explicação está em que Deus não pode ser definido, mas também não pode ser negado; e a oração é o caminho pelo qual a gente entra em contato com Deus.

Quando suas forças acabam, quando sua inteligência entrega os pontos, quando a sua luz apagou, quando o seu beco é sem saída, quando seu túnel não tem fim, é certo que você se volta para um Ser Superior, capaz de tornar possível o impossível, capaz de resolver o insolúvel, capaz de curar o incurável.

ORAÇÃO É ENERGIA

Muitas vezes eu tenho dito que pensamento é energia. Existem até aparelhos para medir a energia irradiada pelo pensamento.

A palavra é uma forma de pensamento.

A ideia é uma forma concatenada de pensamentos.

A imaginação é uma forma de pensamento.

A oração é uma forma de pensamento. Portanto, oração é, antes de tudo, energia mental.

Como a oração encerra conteúdo espiritual, fica claro que a prece contém energia mental e espiritual.

Sabendo-se, ainda, que a prece é contato com Deus, vê-se nela a energia multiplicada ao infinito.

Taniguchi escreveu: "Mesmo quando tudo parece em trevas, não haverá nenhuma preocupação nem temor, se reconhecermos que dentro de nós existe uma força infinita. À minha oração respondem céu e terra."

"A prece – disse Rajneesh - é esse emergir na energia".

Esse estado interiorizante da oração é contato com a Luz e luz é energia. Por isso, a aura de uma pessoa orante se ilumina.

Pode-se, até, ver um halo de luz nos grandes místicos, nos santos.

Essa energia que flui e reflui em você, na oração, pode ser irradiada a outra pessoa, quando sua prece é dirigida a esta pessoa.

Não há barreiras que impeçam o fluxo dessa energia.

Sua oração por alguém doente é grande projeção de energia superior a esta pessoa.

OS TIPOS DE ENERGIA

- Mas, então – perguntará você – existem muitos tipos de energia?

Energia é força e a manifestação dessa força pode ter as formas mais diversas. Temos, por exemplo, as hidrelétricas, as termoelétricas, as usinas atômicas. Pode-se fazer a soma dessas energias percorrer por um único condutor e chegar à lâmpada da sua casa ou ao motor da sua indústria.

Isto quer dizer que a energia é uma só, mas as formas de manifestação podem ser muitas.

Rajneesh escreve o seguinte: "A energia em si é neutra. Quando é expressa biologicamente é sexo; expressa emocionalmente pode tornar-se amor, ódio, pode tornar-se raiva; quando expressa intelectualmente, pode tornar-se científica; quando se move pela mente, se transforma em mental. As diferenças não são diferenças de energia como tal, mas das manifestações aplicadas dela". (A Psicologia do Esotérico).

Como a prece atinge o Infinito, a manifestação da energia alcança força infinita.

Se a energia de uma bomba atômica pode derrubar uma montanha, por que a energia da fé não pode remover montanha, já que a fé é a energia mais poderosa conhecida, conforme ensinou o Mestre?

O Dr. Alexis Carrel, num artigo publicado pelo Reader Digest, em 1941, afirmou: "A oração é a forma de energia mais poderosa que se pode gerar".

E Carrel, em seu trabalho, continua dizendo que essa energia atua de maneira verificável na mente e no corpo de uma pessoa, produzindo, por exemplo, vigor mental e vitalidade física.

Assim escreveu ele: "A influência da oração sobre o espírito e o corpo humano é tão demonstrável quanto a das glândulas. Seus resultados podem ser avaliados em termos de um aumento de vitalidade física, mais vigor intelectual, fibra moral e uma compreensão mais profunda das realidades que estão na base dos relacionamentos humanos".

Norman Vincent Peale, falando da oração, disse: "Ela liberta as forças, fazendo-as jorrar livremente".

Mais adiante, ele completa: "É importante que você saiba estar tratando com a maior força existente no mundo, quando você está fazendo suas orações". (O Poder do Pensamento Positivo).

Num outro livro, acrescenta Peale: "Podemos estabelecer ligação com uma formidável fonte de energia por meio de processos espirituais. A oração pode gerar uma energia maior que a gerada pelo pensamento ou pelo trabalho das mãos. Permita-me que repita: a mais poderosa forma de energia que se possa gerar é a da oração". (Como Confiar em Si e Viver Melhor).

A energia de um trator, por exemplo, pode remover uma montanha através de um trabalho executado em dez anos; a energia da prece tem potência infinita e pode remover a montanha num minuto. Por isso, na prece você está tratando com a energia superior.

ORAÇÃO É PODER

Certo dia, li num dos livros de Norman Vincent Peale, o seguinte: "Estou convencido de que a prece é uma emanação de poder. Se você "atirar" preces às pessoas, poderá afetá-las profundamente. Escolha alguém que, de certa forma, é um problema para você, e atire-lhe preces. Veja-se como que a envolvendo e rodeando com preces salutares, boa vontade e fé. Eu tenho visto, nesses casos, resultados surpreendentes, que parecem quase incríveis".

Toda oração é poder porque tem a força de materializar a ideia contida.

A oração, em verdade, muda as coisas. Mais do que isso: faz as coisas.

Toda oração é poder porque, existindo a fé, se realiza infalivelmente.

Ora, se todo conteúdo, de qualquer natureza, contido numa prece, se realiza, imagine você o poder infinito desencadeado em cada oração, por mais simples que seja.

A prece é poder, porque determina a manifestação divina.

O pedir é a prece; o receber é a manifestação divina.

Veja o que escreveu Emmet Fox: "Dentro de você existe uma fonte inesgotável de poder, se você souber como entrar em contato com ela. Esse poder pode curá-lo e pode inspirá-lo, dizendo-lhe o que fazer e como fazê-lo. Pode tirá-lo do Egito e trazê-lo para a Terra Prometida, em que abundam o leite e o mel. Pode dar-lhe paz de espírito e, acima de tudo, pode dar-lhe um conhecimento direto de Deus. Esse poder é a oração científica".

Numa outra obra, acentuou esse escritor: "Quando nos lembramos que Deus é realmente onipotente, que não sofre entraves daquilo a que chamamos de espaço ou matéria, dos caprichos da natureza humana, é fácil ver que não pode haver limite para o poder da oração".

Você, que precisa mudar a situação negativa do seu negócio; você, que precisa transformar o seu fígado doente em fígado saudável; você, que precisa resolver uma demanda judicial entravada;

você, que precisa fazer uma viagem; você, que precisa tornar-se calmo – recorra ao poder transformador e realizador da prece.

O escritor Honoré de Balzac escreveu, certa vez: "Quando nos concentramos e somos capazes de rezar sem fadiga e com amor, harmonizamo-nos com o poder divino e a nossa vontade, semelhante a um tufão, a um raio, abre caminho através de tudo e participa do poder divino".

Oração é poder.

O Apóstolo Paulo, em sua carta aos efésios, ensinou: "Por essa razão, eu dobro os joelhos diante do Pai – de quem toma o nome toda a família no céu e na terra – para pedir-lhe que ele conceda, segundo a riqueza da sua glória, que vós sejais fortalecidos em poder pelo seu Espírito no homem interior..." (Efésios, 14,19).

Dobrar os joelhos diante do Pai é orar. E a prece traz o fortalecimento no poder. Porque oração é poder.

ORAÇÃO É SABEDORIA

Numa de suas cartas, o Apóstolo Tiago escreveu: "Se alguém dentre vós tem falta de sabedoria, peça-a a Deus, que a concede generosamente a todos, sem recriminações, e ela ser-lhe-á dada, contanto que peça com fé, sem dúvidas, porque aquele que duvida é semelhante às ondas do mar, impelidas e agitadas pelo vento. Não pense tal pessoa que vai receber coisa alguma do Senhor, dúbio e inconstante que é em tudo o que faz". (1, 5-8).

A oração profunda, que encontra Deus, encontra o Espírito e a Verdade. Espírito e Verdade é sabedoria.

Ghandi dizia que "a verdade é Deus e Deus é verdade".

Quando você ora, torna-se uno com Deus. Como Deus é verdade, na sua verdadeira prece você se torna uno com a Verdade. E a Verdade é sabedoria.

Mas, a Verdade não está somente na consciência, e sim também na subconsciência, isto é, nas profundezas do seu ser, em cujo âmago habita Deus.

ORAÇÃO É MILAGRE

Pode-se afirmar que oração é milagre porque a prece se realiza através de uma força e um poder não explicados pela ciência.

O milagre existe.

A cada dia milhões de pessoas são curadas extraordinariamente de doenças consideradas incuráveis. Conheci pessoas que os médicos disseram que nunca sairiam da cama e hoje andam por este mundo afora mais sadias do que nunca.

Quantas pessoas não poderiam jamais caminhar, e hoje caminham; quantos negócios saíram da falência prevista, para o sucesso total; quantos casamentos levantaram das cinzas, para a mais linda comunhão de amor; quantos náufragos se salvaram, contra todas as expectativas; quantas pessoas se salvaram de acidentes de forma tão impossível, que se consideraram como tendo nascido de novo!

Que força estranha é essa chamada milagre?

Que poder desconhecido é esse a que dão o nome de milagre?

Emmet Fox escreveu: "Sabemos que nossa oração será atendida, mas nunca sabemos exatamente como".

"Às vezes – continua ele – parece não haver meio, em termos humanos, para a solução do problema e, no entanto, ele é resolvido de alguma maneira gloriosa e emocionante".

O "como" é exatamente a premissa do milagre. Porque o milagre não é um acontecimento impossível de ocorrer, mas a maneira pela qual acontece é que supunha-se impossível. Portanto, por milagre não se entende um rompimento da ordem natural estabelecida por Deus, mas a realização da ordem natural por caminhos e meios desconhecidos humanamente até o dia de hoje.

Quando Jesus saciou a fome de cinco mil pessoas famintas – isso é coisa que muitos restaurantes fazem diariamente; mas, saciar a fome de cinco mil pessoas com sete pães e sete peixes – aí está o milagre.

O milagre é a realização da prece, ou da mentalização, através de meios maravilhosos e desconhecidos.

O milagre, pois, está ao seu alcance. Basta que você acredite nele.

Todo pensamento acreditado acontece.

Toda oração acreditada acontece.

O milagre é a força divina imanente em você.

Se essa força é imanente em você – você é o seu poder de milagre. Por causa do poder de Deus que existe em você.

Foi por isso que Jesus afirmou, com extrema sabedoria: "Tudo é possível àquele que crê".

Creia firmemente que aquilo que você deseja acontece e fique tranquilo, porque acontecerá.

O milagre é simples.

ORAÇÃO É AMOR

O famoso poeta Samuel Coleridge disse, certa vez: "Reza melhor quem ama melhor".

O Mestre Jesus resumiu toda lei e os profetas numa única palavra: "Amor".

Amar, portanto, é a mais perfeita oração.

É fácil chegar-se à compreensão desta verdade.

Estado de amor é estado de felicidade e estado de felicidade é estado interior de reino dos céus.

Na oração acontece a comunicação entre o Pai e o filho, e esta comunicação é amor. Mesmo que você esteja orando por alguma pessoa, ou pedindo alguma coisa, a sua prece está se dirigindo ao Pai e, por isso, é um contato entre filho e Pai. Este contato é amor.

A oração, que é amor na sua essência, não contém o ódio, a raiva, o ciúme, a inveja, a tristeza e qualquer espécie de maldade. Amor, portanto, já é perdão.

Amor é luz e na luz não há trevas.

Agora você compreende que a legítima oração é ato de amor, assim como amar é orar.

Quando você está fazendo a sua oração, procure alcançar o

estado interior de amor, para que sua palavra chegue a Deus.

A sua oração alcançou o mais elevado estágio, quando ocorre em você a interação total de Deus, do universo e da humanidade dentro de si.

Enquanto isso não acontece, continue fazendo a oração do amor, para que o amor aconteça. O amor acontecendo, tudo aconteceu. Porque aconteceu a felicidade, o estado interior de reino dos céus.

Veja a dimensão extraordinária que o Apóstolo Paulo deu ao amor: "Se eu falasse as línguas dos homens e dos anjos, mas se não tivesse o amor, seria como um bronze que soa ou como um címbalo que tine. Ainda que eu tivesse o dom da profecia, o conhecimento de todos os mistérios e de toda a ciência, ainda que tivesse toda a fé, a ponto de transportar os montes, se não tivesse o amor, eu nada seria. Ainda que eu distribuísse todos os meus bens aos famintos, ainda que entregasse o meu corpo às chamas, se não tivesse o amor, isso nada me adiantaria. O amor é paciente, o amor é prestativo, não é invejoso, não se ostenta, não se incha de orgulho. Nada faz de inconveniente, não procura o seu próprio interesse, não se irrita, não guarda rancor. Não se alegra com a injustiça, mas se regozija com a verdade. Tudo desculpa, tudo crê, tudo espera, tudo suporta. O amor jamais passará. Quanto às profecias, desaparecerão. Quanto às línguas, cessarão. Quanto à ciência, também desaparecerá. Pois o nosso conhecimento é limitado, e limitada é a nossa profecia. Mas, quando vier a perfeição, o que é limitado desaparecerá. Quando eu era criança, falava como criança, pensava como criança, raciocinava como criança. Depois que me tornei homem, fiz desaparecer o que era próprio da criança. Agora vemos em espelho e de maneira confusa, mas, depois, veremos face a face. Agora o meu conhecimento é limitado, mas, depois, conhecereis como sou conhecido. Agora, portanto, permanecem fé, esperança, amor, essas três coisas. A maior delas, porém, é o amor". (Cor. 13, 1ss).

O amor é a oração mais elevada.

A GRANDEZA DA ORAÇÃO ESTÁ NA SIMPLICIDADE

Ser simples como a criança, ao orar, é o método mais perfeito.

Jesus já afirmava esta verdade há dois mil anos, quando disse "Se não vos tornardes como as crianças, não entrareis no reino dos céus".

O reino dos céus é um estado interior de comunhão com Deus e, consequentemente, é estado de felicidade.

Ser como a criança significa ser simples, límpido e transparente no pensamento; manter univocidade entre a mente consciente e subconsciente; ser confiante; acreditar cegamente no poder de Deus, assim como a criança acredita no poder do pai e da mãe; dizer aquilo que está querendo dizer, portanto não ter dobrez; estar sempre em estado positivo; não guardar rancor; ser harmonioso dentro de si.

Toda oração legítima é simples.

E toda oração simples é unívoca.

Toda oração unívoca é infalível.

Para alcançar a simplicidade, você precisa soltar-se, desamarrar-se, sentir o voo inexprimível da liberdade interior; precisa conseguir envolver-se na poesia do pôr do sol; precisa alcançar a beleza indizível da flor.

Ser simples é cumprimentar a quem você ofendeu e, sorrindo, pedir desculpas; ser simples é não deixar entrar na cabeça as maldades dos outros e ter sempre o perdão nas mãos abertas.

Ser simples é ser simples mesmo.

Quando você é simples, alcançou a Vida, pois a simplicidade coloca você em comunhão com Deus e o universo todo.

Esta simplicidade é o próprio reino dos céus.

Para alcançar simplicidade é necessário mergulhar fundo no seu ser interior, até atingir a fronteira entre o finito e o Infinito.

Qualquer pensamento ou sentimento que rompa a simplicidade interior, fará você entrar em descaminhos e, então, não conseguirá encontrar-se com Deus.

A oração simples não pode conter ódios, pois somente a luz do amor universal iluminará o seu caminho até seu Deus interior.

Baseado nesta verdade, Jesus ensinou: "Se, por conseguinte, estiveres ante o altar para apresentar tua oferenda e te lembrares de que teu irmão tem queixa de ti, deixa a tua oferenda ao pé do altar e vai reconciliar-te primeiro com teu irmão; e depois vem oferecer o teu sacrifício. Não hesites em fazer as pazes com teu adversário, enquanto estiveres a caminho com ele..."(Mt. 5, 21-26)

Ele está dizendo que, enquanto houver ódio dentro de você, sua oração não alcança Deus; portanto, não adianta subir ao altar para a oferenda. Está perdendo tempo. Aconselhou, então, a deixar a oferenda e, primeiro, reconciliar-se com o irmão.

Lembro agora uma outra passagem da Bíblia que diz que somente os puros de coração verão a Deus.

Ser simples é ser puro de coração.

Para alcançar a Deus, nas profundezas de si mesmo, antes de tudo faça uma prece de perdão, isto é, uma prece de amor universal.

Agora está aberto o caminho para seu Deus interior, porque onde há somente amor, há luz; e onde há luz, não há barreiras, nem trevas, nem maldades.

Ai está Deus. E aí está você.

Foi o que ensinou o Mestre: "Então, o Pai vos concederá tudo o que pedirdes em meu nome. O meu mandamento é este: "Amai-vos uns aos outros". (Jo.15,17).

Seja simples, portanto, e seu contato com Deus tornará a sua oração infalível.

"Então, o Pai vos concederá tudo o que pedirdes".

Quando se estabelece a unidade com Deus, sua oração move céus e terras e terá poder infinito.

Neste caso, completa Jesus: "Tudo o que ligares sobre a terra será ligado também no céu; e tudo o que desligares sobre a terra será desligado no céu".

E acrescenta o Mestre: "Digo-vos ainda que qualquer coisa que dois de vós sobre a terra pedirem unanimemente ser-lhes-á concedida por meu Pai que está nos céus." (Jo. 18,15-20).

Quando houver unanimidade, ou seja, simplicidade, unicidade, dentro da sua mente consciente e subconsciente, será infalível e todo-poderosa a sua oração, porque o Pai, que habita o seu interior, em cujo contato direto você está, lhe concederá tudo o que pedir.

Eis o caminho do milagre.

CAPÍTULO 2
A ORAÇÃO ATENDIDA

Todas as pessoas oram, mas nem todas são atendidas.

Por quê?

Você mesmo tem orado com frequência, pedindo algo a Deus, e viu que algumas vezes foi atendido e outras vezes não.

Por quê?

Será que há discriminação da parte de Deus?

Será que Deus faz diferença entre a oração de um sábio e a de um ignorante? Entre a oração de um preto e a de um branco? Entre a oração de um homem e a de uma mulher? Entre a oração de um pecador e a de um justo? Entre a oração de um pobre e a de um rico? Entre a oração de um católico e a de um espírita?

Não!

Tudo é questão de causa e efeito, de ação e reação.

A oração é uma lei universal. Toda lei universal nunca falha, quando as premissas são colocadas corretamente.

Veja: a maneira pela qual Deus rege o universo é através de leis. Existem as leis da física, da química, da matemática, da engenharia, da eletrônica, assim por diante. Os homens apenas descobriram essas leis e passaram a usá-las de acordo com seus princípios.

A maneira pela qual Deus rege o homem, o microcosmo, também é através de leis.

Existe a lei da oração. Esta lei é infalível. Nunca falha.

Quando a sua oração não é atendida, é porque você falhou e

não Deus.

Quando a sua oração não produziu o objetivo, não se queixe de Deus, porque Deus nunca falha. Queixe-se de si mesmo, pois foi você quem falhou.

A oração é uma lei. A lei nunca falha.

Quando você vai instalar uma tomada elétrica na sua casa e ela não funciona, não é por isso que você terá dúvidas quanto à existência da eletricidade na sua casa, mesmo porque a geladeira está funcionando e as lâmpadas estão acesas. Também, se a sua tomada não funciona e a tomada colocada pelo João funciona, você não vai se queixar a Deus porque ele fez funcionar a tomada do João e não fez funcionar a sua tomada. Seria ridículo, não é mesmo? Da mesma forma, ao invés de se queixar a Deus porque a sua oração não foi atendida e a do Pedro foi atendida, trate de ver em que é que você falhou.

TODA ORAÇÃO ACREDITADA É ATENDIDA

A única premissa necessária para que a sua oração seja atendida é a fé. Isto foi ensinado pelo próprio Jesus.

Não importa se você é santo ou pecador, sábio ou ignorante – se a sua oração for feita com fé, você será atendido.

Não importa se a sua religião for católica ou não – se a sua oração for feita com fé, será atendida.

Não importa se você é ateu ou não – se a sua oração for feita com fé, será atendida.

Não importa se esta é a primeira vez que você está rezando na vida – se a sua oração for feita com fé, será atendida.

Não importa se você está fazendo a oração da bondade ou da riqueza – se a sua oração for feita com fé, será atendida.

Toda oração acreditada é infalível.

Jesus insistiu nesta verdade diversas vezes: "Seja o que for que desejardes, quando orardes crede que tendes alcançado e alcançareis".

"Crede que tendes alcançado e alcançareis".

Esta é a chave do segredo.

A FÉ É O PODER DA ORAÇÃO

Disse Jesus: "Tudo o que pedirdes com fé, na oração, alcançá-lo-eis". (Mt. 21,12-17).

Aí está: Tudo o que pedirdes com fé, na oração. A oração feita com fé é infalível.

A realização da sua prece está na proporção direta do tamanho da sua fé.

A fé é a força todo-poderosa da oração.

No meu livro "Os Poderes de Jesus Cristo", escrevi: "Com certeza, pode-se dizer que a descoberta mais impressionante que Jesus transmitiu à humanidade foi a lei todo-poderosa da fé.

No campo da energia – a fé é uma força mais poderosa que as energias nucleares já descobertas.

No campo do poder – religião alguma descobriu poder maior que a fé.

No campo da saúde – jamais a medicina inventou um método de cura mais poderoso e instantâneo que a fé.

A fé tudo pode.

A fé remove montanhas.

A fé torna possível o impossível".

Está tudo dito.

A lei da fé se concilia com a lei infalível da oração.

Toda oração firmada na fé se realiza.

Toda fé é uma oração infalível.

Certa vez, o Mestre afirmou: "Crede firmemente que recebereis tudo quanto perdirdes na oração – e vos será dado". (Mc.11,26).

Toda oração firmemente acreditada produz a realidade. Esta é a lei.

Os dois ingredientes essenciais necessários para você alcançar tudo o que deseja são: orar e acreditar.

Oração sem fé é oração sem força; é papo-furado.

Oração com fé é todo-poderosa, infalível, realizadora.

COMO TER FÉ NA ORAÇÃO

Quando você constrói uma casa, não tem dúvida da existência dessa casa.

Quando você escreve uma poesia no papel, não tem dúvida da existência dessa poesia.

Quando você faz uma cadeira, não há dúvida para você da existência dessa cadeira; afinal, você a vê com seus próprios olhos.

Assim é no mundo da mente. Quando você cria uma casa mentalmente, não tenha dúvida de que essa casa existe.

O mundo da mente é tão real quanto o mundo material.

Como escreveu o apóstolo Paulo aos hebreus: "A fé é uma posse antecipada do que se espera, um meio de demonstrar as realidades que não se veem". (Hebreus 11, 1-3).

A fé é uma posse antecipada. É uma posse. Por isso, não comporta dúvida e nem possibilidade de não existir, porquanto já está existindo. Se se trata de uma posse, é sinal que já está existindo.

Eis porque Jesus, o maior conhecedor de todas as leis do mundo mental e espiritual, disse: "Pedi e recebereis; procurai e achareis; batei e abrir-se-vos-á. Pois, todo aquele que pede, recebe; quem procura, acha; e a quem bate, abrir-se-lhe-á". (Mt.7,7-12).

Mais uma vez o Mestre confirma que toda oração acreditada acontece.

Se você pede, alcança.

Se você busca, acha.

Se você bate, abrir-se-lhe-á.

Não há possibilidade de falhar. Jesus não colocou nenhum "mas", nenhum "depende", nenhum "talvez" e nem mesmo acrescentou "se for da vontade do vosso Pai".

Toda oração acreditada é infalível, porque a oração é, desde logo, uma posse antecipada do que se espera, um meio de demonstrar as realidades que não se veem.

O QUE É A FÉ

No meu livro "Os Poderes de Jesus Cristo", cito a definição de fé, dada por Jesus: "Fé é crer firmemente na realização da sua palavra". (Mc. 11,20-26).

E digo, nesse livro: "Ter fé é acreditar que a palavra produz a realidade do seu conteúdo".

Aí está tudo claro.

A fé, portanto, não admite dúvida, nem medo, nem desinteresse, nem hesitação, nem descrença.

Quando a sua oração não é atendida, a causa está na dúvida ou no medo ou na hesitação ou na descrença ou no desinteresse ou no erro.

Se você crer na realização da sua palavra, ou seja, se você crer que a sua oração será atendida – infalivelmente já está sendo atendida.

Se, porém, você duvida, está realmente fazendo duas orações contrárias e opostas. Primeira, a oração daquilo que você deseja; segunda, a oração pela qual você duvida que vá acontecer. Se duvida, está admitindo que possa não acontecer.

Mas, fé é crer firmemente na realização da sua palavra.

Quando você tem medo, está tirando toda a força da oração, porque o seu pensamento de medo é mais forte, mais emocionalizado e, portanto, é este que vai prevalecer.

Quando você está desinteressado no conteúdo da oração, esta não vai além de seus lábios e, por isso, nada acontece.

Quando você descrê que a sua oração será atendida, na verdade está fazendo, ao mesmo tempo, duas orações. Primeira, a que você deseja que aconteça; segunda, a oração contrária, pela qual você acredita que não vai acontecer. Neste caso, é esta última que se realiza, pois todo pensamento acreditado se concretiza.

Quando a sua oração é desfeita pelo erro, nada acontece. Por exemplo, quando você pensa que não merece alcançar o que está pedindo; quando você pensa que Deus se chateia com seus pedidos; quando você pensa que o que está solicitando não existe; quando você pensa que sua oração está importunando a Deus; quando você pensa que sua oração pode não ser da vontade de Deus – nestas circunstâncias sua oração não produz resultados positivos, porque é contraditada pelo erro.

Quando você hesita se deve orar ou não, se deve pedir ou não, se é isto que quer ou não, esta oração não tem poder, porque está totalmente destituída de energia interior.

Quando, porém, você vai orar, ACREDITE que a sua palavra vai acontecer, e assim será.

Esta oração é infalível. É pela sua oração que Deus se manifesta, portanto acredite com toda a força da sua alma.

Tenha sempre em mente que a lei do pedir é a mesma lei do receber. Se fez o pedido, já está recebendo.

Acredite na realização da sua palavra.

Saiba que Deus, que habita o seu íntimo, é a realização da sua palavra.

Ter fé é acreditar firmemente que a sua palavra se realiza. Esta é a forma pela qual Deus se manifesta em você.

Por isso, você, que sabe orar com fé, tudo pode.

Como disse o grande Mestre: "Quanto ao poder, quem tem fé tudo pode". (Mc.9,23).

PORQUE MUITAS PESSOAS NÃO SÃO ATENDIDAS NA SUA ORAÇÃO

Toda oração verdadeira e correta é infalível. Essa é uma lei. Quando as premissas são colocadas corretamente, o resultado nunca pode falhar.

Por que, então, milhares de pessoas fazem peregrinações para pedir graças, curas, milagres, e só algumas pessoas alcançam?

Diante desta situação, que explicação podem lhe dar os que não entendem das leis infalíveis da oração?

Dizem-lhe que foi Deus quem não quis atender; que a vontade de Deus é que você continue sofrendo; dizem-lhe que você ainda não é digno dessa graça; dizem-lhe que você não mereceu, porque tem muitos pecados a pagar, assim por diante.

Na verdade, os dons de Deus são para os bons e os maus,

para os crentes ou católicos, para os que muito rezam e para os que pouco rezam, porque não é nesses aspectos que se situa a lei da oração. O resultado da oração não depende de palavras bonitas, e muito menos se você é católico ou sabatista.

A oração é uma lei e se você usar corretamente essa lei, o resultado nunca falhará, seja você quem for. Se você não usar corretamente essa lei, o resultado sempre falhará, seja você quem for.

Deus não é arbitrário e nem discriminador. Deus é justo. A maneira pela qual Deus rege o ser humano é através de leis. Não há, pois, favorecimentos por ser alguém católico ou protestante.

Todos somos filhos de Deus, com os mesmos direitos, participantes da mesma justiça, bondade e misericórdia infinitas do Pai.

Todos os que têm sede e resolverem comer carne para matar a sede, não alcançarão. Se, então, experimentarem comer um fino prato de strogonoff para saciar a sede, ainda assim não conseguirão. Se resolverem, por fim, comer um gostoso macarrão à italiana para ver se saciam a sede, ainda não conseguirão.

Basta, no entanto, tomar água e, pronto, a sede está saciada.

Ainda que mal comparando, aí está porque tanta gente reza e reza e reza e nada consegue. Não é porque Deus se compraz com a sua doença ou com o seu sofrimento. Basta que sua oração seja verdadeira e o Poder Divino se manifestará em você.

Você não é atendido simplesmente porque, consciente ou subconsciente, não acredita no que está dizendo.

Conheci uma senhora que orava pedindo a Deus para ter um filho e, ao mesmo tempo, dizia a todo mundo que lhe era impossível ter filho, porque o ginecologista assim o afirmara e, mesmo, porque já fazia sete anos que estava em tratamento para ter filho e não conseguira. A oração desta senhora era destituída de fé e, portanto, era uma oração sem valia, sem força, sem poder, desimantada. A fé é a força todo-poderosa que remove qualquer montanha de obstáculos. Esta senhora não tinha fé, porque pedia a Deus que seu Poder Divino se manifestasse nela, possibilitando-lhe ter um filho, e, por outro lado, continuava pensando e dizendo que não podia ter filho. Pedia e cancelava o pedido. Tornava a pedir e cancelava o pedido. Voltava a pedir e tornava a cancelar o pedido.

Toda vez que uma pessoa pede alguma coisa ao Poder Infinito e depois continua achando que não vai conseguir, sua oração não tem valor algum e não passa de mera papagaiada.

Jesus já dizia: "Quem lança a mão no arado e volta para trás, não é digno de mim", isto é, o Poder Divino não se manifesta, nada acontece, o milagre não ocorre.

A ORAÇÃO DAQUELA MULHER NERVOSA

Certo dia, entrou na igreja uma mulher, chamada Neftalina, para orar. Era muito nervosa e fora até o altar de Jesus para pedir-lhe o dom da calma.

Ajoelhada, reverente, olhos fechados, mãos juntas, assim orou: "Senhor Jesus, venho a ti porque sei que tu me atendes. Tu prometeste que sempre atenderias, por isso te peço a calma. Pelo teu poder divino, agora sou calma na minha mente e sou calma nos meus nervos. Todos abençoarão a minha calma e eu, desde já, estou muito agradecida. Obrigada, Senhor. Em nome do Pai e do Filho e do Espírito Santo. Amém".

Concluída a sua prece, retirou-se da igreja. Ao caminhar pela rua, encontrou-se com uma velha amiga e ambas pararam para um bom papo.

- Como é que vai? – perguntou, sorridente, a Neftalina.

- Vou muito bem, obrigada – respondeu a outra. – E você?

- Sabe – comentou a Neftalina, com o rosto contraído e grave – eu ando nuns nervos que não aguento mais. Já fui ao médico e não adiantou. Estou num atacamento, que às vezes dá vontade de gritar e sair correndo. Coisa séria! Não sei mais o que fazer!

Ouviu você a conversa da Neftalina? Pois, eu lhe pergunto: Que sentido tinha, para ela, a oração feita na igreja? Não era uma oração verdadeira, já que, minutos após, voltava a confirmar a sua doença. Eis porque a sua prece não foi atendida. Simplesmente, porque fez uma oração sem sentido, sem significado; em outras palavras, sem fé. A oração realizada na igreja não foi nada mais do que um papo-furado e, por isso, não foi atendida. Ela fez a oração e a desfez logo depois, na rua.

Em qual das duas afirmações a Neftalina mais acreditava? Logicamente, na afirmação feita à sua amiga sobre seu nervosismo. Além de ser a afirmação posterior, portanto, a última enviada ao seu interior, falava com convicção sobre seu nervosismo. Esta afirmação é que ia ocorrer na sua vida, porque toda palavra acreditada produz a realidade do seu conteúdo. Seu nervosismo continuaria reafirmado por ela mesma.

E o pior é que, muitas vezes, essas mesmas pessoas que agem assim, ficam dizendo que foi Deus que não quis atender, porque deseja que sofram em expiação de seus pecados e dos pecados da humanidade.

TODA ORAÇÃO VERDADEIRA PRODUZ MILAGRE

Oração verdadeira não é mais do que o seu pensamento acreditado. Não é preciso que sua prece tenha obrigatoriamente a palavra Deus na frase.

Veja um tipo de oração verdadeira, que produziu um maravilhoso milagre.

Um dia, caminhava Jesus por entre a multidão, que afluía para ele, na ânsia de ouvi-lo, de estar perto dele e, se possível, até mesmo tocá-lo.

Naquele lugar, por onde Jesus passava, vivia uma mulher que, há doze anos, sofria de um fluxo de sangue. Segundo o evangelista Marcos, ela "tinha padecido muito às mãos de numerosos médicos, gastando toda a sua fortuna, mas sem encontrar alívio algum; até se achava cada vez pior". (Mc. 5,21-43).

Ao saber que Jesus estava passando na rua, esta mulher desejou ardentemente chegar até o Mestre, pensando consigo mesma: "Se lhe tocar sequer o manto, serei curada!" Aí está o texto da oração da doente: "Se lhe tocar sequer o manto, serei curada!"

Ela pensou e acreditou que o seu pensamento era verdadeiro: Legítima oração.

Para uma pessoa que acredita no poder da oração, bastam poucas palavras. A fé está dentro da pessoa e não na moldura das palavras. Fé é acreditar que a sua palavra produz a realidade do seu conteúdo.

A fé da hemorroíssa dava-lhe a certeza de que essas palavras se realizariam infalivelmente: "Se lhe tocar sequer o manto, serei curada!"

Antes de ver o que aconteceu com essa mulher, permita que eu lhe pergunte: "Se fosse você que sofresse de uma doença, há doze anos, sem encontrar cura e nem alívio, apesar de gastar toda a fortuna nas mãos de médicos, como agiria? Agiria, quem sabe, como está agindo agora. Hoje, por exemplo, está você acreditando na cura da sua doença ou está pensando que não adianta, que não tem jeito, que já faz tantos anos que vem sofrendo e não há mais possibilidade de cura? Se o seu médico disse que a sua doença é incurável, acredita você que a sua oração pode curá-lo? Acredita mesmo?

Se a mulher do fluxo de sangue fosse negativa, como tanta gente, teria ficado em casa, enquanto Jesus passava pela rua cercado de imensa multidão, a lamuriar a sua sorte e a dizer que nem ele nem ninguém poderia fazer algo por ela. Poderia, até mesmo, mandar um beijo de longe a Jesus, sem imaginar que ele pudesse curá-la. Afinal, doze anos e toda uma fortuna para curar a doença, sem resultado, poderia abalar a fé de muita gente.

Por que é que essa mulher foi curada?

Porque não ficou em casa.

Por que é que ela foi curada?

Porque fez a oração da cura.

Por que é que ela foi curada?

Porque acreditou que o seu pensamento era a sua oração infalível e verdadeira.

Por que é que ela foi curada?

Porque tinha certeza que, tocando o manto de Jesus com o dedo, o milagre aconteceria.

Por isso, tratou de se aproximar de Jesus; foi impulsionada pela fé a se aproximar do Mestre e tocá-lo.

"Se eu lhe tocar sequer o manto, serei curada!"

Talvez você pensasse assim: "Não adianta, tem muita gente ao redor de Jesus; não conseguirei chegar até ele!"

Ela, no entanto, pensou na cura, acreditou e agiu.

Quando uma pessoa tem fé, todos os caminhos, por mais impossíveis que pareçam, se abrem.

A fé – no dizer do Mestre – remove montanhas.

A mente daquela mulher era toda positiva. Pensou na cura, acreditou com toda a convicção na cura, sentiu um impulso incontido de levantar-se e sair ao encontro de Jesus. Não havia barreiras para ela. Foi andando por entre as pessoas, abrindo espaços, pedindo desculpas, chegando mais, mais perto, enquanto pensava com a mais forte certeza: "Se eu lhe tocar sequer o manto, serei curada!" Esta era a sua oração poderosa, forte, decidida, irreversível. Nem sequer cedeu à tentação de achar que, devido à gravidade da sua doença, seria necessário pedir uma entrevista particular com Jesus, a fim de que ele invocasse todas as forças do Alto para curá-la.

Nada disso; sua oração era simples, clara, decidida e forte: "Se eu lhe tocar sequer o manto, serei curada!"

E foi chegando, meio espremida no meio de tanta gente, até conseguir tocar com o dedo o manto de Jesus. E, no mesmo instante, ficou curada.

Veja um lindo exemplo de oração curta, simples, cheia de fé.

Você, no entanto, poderá dizer que a cura foi realizada por Jesus. Na verdade, a cura se deu com o cumprimento da sua oração: "Se eu lhe tocar sequer o manto, serei curada". Ora, tocou o manto e acreditou; logo, o resultado não podia falhar.

Quando você coloca as premissas corretamente, o resultado sempre ocorrerá.

Se você alega que Jesus foi a força da fé daquela mulher, eu lhe digo que Jesus ainda hoje existe e assegurou que tudo o que pedissem, em seu nome, seria alcançado. A situação, pois, é a mesma. Se, hoje, você está deixando de acreditar no poder infalível da oração, lembre-se que também aquela mulher poderia ter descrido da possibilidade de ficar curada.

Tenha certeza de que toda oração verdadeira produz o milagre.

Acredite que o seu pensamento é verdadeiro e ele acontecerá.

Todo pensamento é uma realidade mental que se torna realidade física.

A oração é um pensamento forte, emocionalizado, poderoso, firme, ligado no Infinito. Com muito mais razão, há de acontecer.

Ore e acredite.

"Seja o que for que desejardes – disse o Mestre – quando orardes crede que tendes alcançado e alcançareis".

Seja o que for. Não importa qual seja o conteúdo da sua oração e também não importa se você está pedindo bens espirituais ou materiais.

"Seja o que for que desejardes..."

"Quando orardes, crede que tendes alcançado".

Aí está a chave do segredo.

CAPÍTULO 3
A ORAÇÃO FALADA

Existem dois tipos básicos de oração; a oração falada e a oração escutada.

São duas as maneiras pelas quais Deus – o Poder Divino, a Sabedoria Infinita – se manifesta em você.

Você pode falar a Deus ou simplesmente escutar a voz de Deus.

Entendo por oração falada quando você se dirige ao Poder Divino, ao Pai, dizendo aquilo que você quer dizer, pedindo aquilo que você deseja pedir, manifestando, através da palavra, do pensamento, do pedido, do cântico, da ideia, da imaginação, aquilo que você deseja alcançar.

Esta maneira de orar foi muito insistida pelo Mestre Jesus. Ele disse que você deve pedir, isto é, dizer o que quer que aconteça na sua vida. O receber, segundo o Mestre, depende do pedir. E o pedir – também segundo os ensinamentos de Jesus – sempre produz o receber. Esta é uma lei divina universal, que nunca falha.

Em diversas ocasiões, Jesus se referiu a este tipo de oração.

Veja: "Pedi e recebereis, porque todo aquele que pede – recebe!"

"Se pedirdes ao Pai alguma coisa em meu nome, Ele vô-la dará".

"Até agora nada pediste. Pedi e recebereis, para que a vossa alegria seja completa".

Você deve, portanto, dizer o que você quer que Deus atenda.

Muitas vezes você ouviu, em prédicas, que Deus sempre ouve a sua oração. Ora, o ouvir depende de alguém que fale. Como Deus vai ouvir se você não falou?

É PRECISO PEDIR

Conheci muitas pessoas que me disseram o seguinte: Deus sabe tudo o que eu preciso, portanto eu não peço nada.

Deus só pode agir em você por meio de você, caso contrário estaria lhe tirando o seu dom mais precioso, que é o dom da liberdade.

Se Deus agisse em você independentemente do seu desejo, da sua vontade, você não passaria de um boneco de Deus, que fala pela boca de Deus, que se movimenta pela ação de Deus, que age pela determinação de Deus. Neste caso, você não passaria de um robô, sem autonomia, e todas as suas ações não teriam valor nenhum, porque não passariam de ações determinadas e impulsionadas por Deus.

A verdade, porém, é que Deus somente age em você por meio de você.

E Deus atua em você em resposta à sua oração, ao seu desejo, ao seu pensamento, à suas crenças, à sua imaginação, à sua ideia, à sua palavra, enfim à sua determinação mental.

Veja bem: Deus sabe quando você tem sede e sabe que, se você não beber água, morrerá. Mas, a sua sede somente será saciada se você beber água. Essa é a Lei. Se você não beber água, Deus não saciará a sua sede, mesmo que você morra.

Você não é um robô e nem um autômato, muito menos um automóvel dirigido por Deus.

Você é filho de Deus, imagem e semelhança de Deus, cujo dom da liberdade, da livre escolha para fazer o bem, dá um valor incomensurável a tudo o que você pensa, deseja e faz.

O valor e a dimensão maior daquilo que você faz estão na proporção da livre escolha entre o fazer e o não fazer.

Deus, pois, é o Poder Divino imanente em você, que sempre responde ao seu pensamento acreditado e unívoco.

Entenda que o Poder Divino age em RESPOSTA ao seu pensamento, à sua palavra.

"Pedi" e, então, "RECEBEREIS".

Se você não pede, isto é, se você não ora, não mentaliza, não expressa interiormente o que deseja – nada acontece.

Mal comparando, de nada adianta você ter um trator ou um potente caminhão escondido na sua garagem. É como se não existisse. Aí está porque muitos dizem que Deus não existe.

E SE DEUS AGISSE INDEPENDENTE DA SUA VONTADE?

Se Deus agisse independente da sua vontade, do seu desejo, estaria, em primeiro lugar, rompida a lei universal e divina. Seria o mesmo que Deus matar a sua sede sem você beber água e sem pedir.

Além disso, se Deus atuasse em você independente de você, neste caso você teria todo o direito de se queixar a Deus diante de certas vicissitudes da sua vida.

Vamos supor que Deus lhe desse abundância econômica. Se isso não for do seu desejo, poderia até se queixar a Deus: "Mas, como?! Eu não pedi abundância. Eu quero ser pobre! Pare com isso, meu Deus!"

A cada um é dado, pois, de acordo com o seu pedido, em resposta – veja bem – em resposta à sua oração.

Se as coisas, portanto, não vão bem na sua vida, não se queixe de Deus; queixe-se de si mesmo. É você que não está usando o Poder Divino em seu benefício.

MAS É IMPOSSÍVEL NÃO PEDIR

Seu pensamento acreditado é a sua oração natural. Todo pensamento acreditado, seja bom ou mau, benéfico ou maléfico, produz a realidade do próprio conteúdo.

O pensamento produz a realidade de si mesmo.

O pensamento se expressa no universo real.

A energia do pensamento se concentra no núcleo da ideia, produzindo a forma.

Isto significa que, quer você saiba ou não, quer você deseje pedir a Deus ou não, na verdade você está sempre usando a lei do "pedi e recebereis" toda vez que você pensa.

SEU PENSAMENTO É A SUA ORAÇÃO

Mesmo que você diga que nada pede e deixa tudo nas mãos de Deus – cada pensamento seu, acreditado e unívoco, por si mesmo se enquadra na lei do pedi e recebereis, alcançando sempre a resposta.

Mesmo que você não queira saciar a sede, se você bebe água, mata a sede.

Mesmo que você não queira usar o Poder de Deus, cada pensamento acreditado seu já está acionando a Lei Divina e, portanto, o Poder Infinito já está respondendo.

Você pode não fazer a oração da saúde porque entende que deve deixar a sua cura nas mãos de Deus; no entanto, cada vez que você pensa na sua doença, cada vez que você fala da sua doença, cada vez que você diz que a sua doença é incurável, que os remédios não adiantam nada, que a operação não vai dar certo – você está, sem querer ou sem saber, fazendo a oração da sua doença e o Poder Infinito, que sempre responde à palavra acreditada, cumprirá, mantendo a sua doença, tornando-a incurável, impedindo o efeito dos remédios e da operação.

Você pode não fazer a oração da alegria, mas toda vez que você pensa em tristeza, toda vez que você fala em tristeza, está fazendo a oração da tristeza; e a oração da tristeza está produzindo a tristeza em você.

O seu pensamento é sempre a sua legítima oração.

Foi por isso que o grande Mestre Jesus disse: "Toda árvore boa produz bons frutos e toda árvore má produz maus frutos".

Isto quer dizer que toda vez que você produz pensamentos bons, positivos, terá, como resposta, frutos bons, positivos; e, toda vez que você produzir pensamentos negativos, terá, como resposta, frutos maus, negativos.

Diante desta verdade, assuma o comando do seu barco, assumindo o comando dos seus pensamentos.

Joseph Murphy escreveu que "rezar também significa pensar de forma positiva e construtiva".

Num outro momento, afirmou Murphy, autor de mais de trinta livros sobre o poder da mente: "Cada pensamento, em certo sentido, é uma oração, pela simples razão de que cada pensamento tende para a ação e a manifestação".

No seu livro "O Poder da Oração", assinalou este mesmo autor: "Os pensamentos são coisas, as ideias se realizam, aquilo que sentimos nós atraímos, o que contemplamos é aquilo em que nos tornamos".

Assim como toda oração acreditada é infalível, também todo pensamento acreditado se realiza. Aliás, o mundo exterior de cada um não é nada mais do que o resultado do mundo interior.

Agora você entende porque a oração muda as coisas. E faz as coisas.

Você só consegue mudar o seu mundo exterior mudando o seu mundo interior.

Andersen escreveu: "A despeito de gostarmos da analogia ou não, literalmente oramos durante todos os minutos de nossa vida, e cada uma de nossas preces é respondida. Não há como fugir desta roda de pensamentos e crenças. É a lei da vida. Tudo aquilo que se manifestou em nossas experiências não nos foi concedido por sorte, destino ou coincidência, mas é simplesmente uma manifestação física de nosso pensamento e crença. Se nos trouxe bem ou mal, é de fato uma prece respondida". (Três Palavras Mágicas).

Emerson é um filósofo norte-americano, que muito tem influenciado a vida daquele povo.

Ele escreveu estes versos:

"E embora nunca tenhas curvado os joelhos
Para o céu, tuas preces são enviadas,
E, sejam voltadas para o bem ou para o mal,
São registradas e respondidas".

A sua oração, pois, assim como seu pensamento de qualquer natureza, podem lhe trazer o bem ou o mal. Deus não seleciona os pensamentos e nem as orações. Pertence a cada um criar somente pensamentos bons e somente orações benéficas.

A cada um é dado conforme seus pensamentos e suas orações e crenças.

PENSE SÓ POSITIVAMENTE

Decida-se, daqui para frente, a só pensar positivamente, a só falar positivamente e a só agir positivamente.

Lembre-se da lei do retorno.

Quando você reza por alguém, ore pela sua saúde, bem-estar, felicidade, sucesso, amor, enfim ponha na sua oração os elementos do bem que deseja ao outro.

Não faça a oração da infelicidade, porque ela virá ao seu encontro. É assim que se expressa a lei do retorno.

Dificilmente se encontrará alguém que faça uma prece pela desgraça de uma pessoa, mas há afirmações que querem significar exatamente isso. Por exemplo, quando você exclama: "Tomara que se dê mal naquele negócio!" Neste caso, o mal que está desejando para essa pessoa, virá a você.

É a lei do retorno.

Quando você diz: "Faço votos que seja muito feliz no seu casamento", está atraindo a bênção divina para você também.

Seu pensamento é a sua oração natural.

Não dê mais força nenhuma a pensamentos negativos. Se aparecerem pensamentos negativos ou imaginações nefastas na sua cabeça, tome o comando da mente e passe a criar, de imediato, os pensamentos positivos contrários.

Não se preocupe com os pensamentos negativos e nem com as imagens negativas que surgirem na mente. Simplesmente substitua-os em seguida, pelos pensamentos positivos contrários.

Por exemplo, se aparecerem pensamentos de depressão, de amargura, ao se dar conta, passe imediatamente a pensar com convicção: "Eu sou feliz! Eu sou feliz! Eu sou feliz!"

Grite dentro de você, com fé: "Eu sou feliz! Eu sou feliz! Alegria! Alegria!"

Esta sua oração forte, poderosa, repetida, produzirá os frutos da alegria e da felicidade.

Assim como os seus pensamentos de depressão produziram a sua depressão, agora os pensamentos de felicidade e de alegria produzirão, pelo mesmo princípio, pelo mesmo poder, a sua felicidade e a sua alegria.

Tudo simples, fácil e verdadeiro, como a luz do sol.

Daqui para frente, decida-se a só orar positivamente e a só falar positivamente.

A SUA PALAVRA É A SUA ORAÇÃO PODEROSA

A sua palavra é a sua oração. Todo-poderosa.

A palavra é o próprio Deus se manifestando em você.

Talvez, como diz o início do evangelho de João, possamos afirmar que a palavra é o próprio Deus, por ser a manifestação de Deus.

Escreveu o evangelista João, no início do seu evangelho: "No princípio, era a Palavra e a Palavra era Deus. E tudo o que foi feito foi feito pela Palavra".

A sua palavra também tem o poder de Deus.

Use, então, só palavras positivas.

Só fale positivamente.

Nas suas conversas, só fale o bem, só diga o bem, só pense o bem, só veja o bem, e a sua palavra produzirá esta realidade.

Se você fala o mal, colherá o mal.

Se você fala o bem, colherá o bem.

O próprio Jesus ensinou que todo o bem que se fala, que se pensa e que se deseja a alguém, retorna multiplicado.

Esta é a lei infalível do retorno. Note bem: infalível. Infalível.

Se você deseja recolher as vantagens e os benefícios desta lei, só fale o bem, só pense o bem, só deseje o bem e só faça o bem.

O bem, criado em sua mente, acontece em você.

A SUA PALAVRA NAS RODAS DE AMIGOS

Quando você está junto de outras pessoas, fale bem dessas pessoas; veja o que há de bom nessas pessoas. Se a conversa se reportar a outras pessoas, ausentes, só fale bem. Não se contagie do mal. Se outros falam mal, cale-se; ou fale o que você vê de bom na pessoa mencionada; ou se retire discretamente, alegando um compromisso qualquer.

Saiba que tanto o mal quanto o bem que você fala – retornam a você. Essa é a lei, que nunca falha.

Seja verdade ou mentira o mal que estão falando de outra pessoa, não entre nessa onda. Procure logo tudo o que há de bom nessa pessoa e seja inteligente a ponto de conseguir mudar a conversa para outro assunto positivo.

Todo o bem que você fala de alguém, retorna a você.

Lembre-se: a sua palavra é a sua oração todo-poderosa.

JESUS E O CACHORRO

Contam que, um dia, Jesus caminhava por uma longa estrada, com seus discípulos, quando encontraram um cachorro morto, à beira do caminho.

Os discípulos olharam com desdém para o animal e começaram a dizer:

- Bem feito, deve ter sido um animal muito agressivo!

- Que boca horrível!

- Que rabo sujo!

- Que pelo horroroso!

- Que focinho assustador!

- Que patas perigosas ele tinha!

E cada um deitava a sua crítica acerba contra o animal morto.

Jesus olhou, com carinho, para o animal e disse:

- Vejam que dentes lindos ele tinha!

Ao me contarem esta história, quiseram teimar comigo que estava relatada nos evangelhos. Não está, não. Mas, não deixa de encerrar uma bonita lição.

Quando você estiver diante de qualquer pessoa, veja nela um filho de Deus. Sem dúvida nenhuma, há de existir alguma qualidade nesta pessoa, que mereça elogios.

Certa vez – isto sim – disse Jesus: "Não julgueis e não sereis julgados. Com a medida com que medirdes, sereis medidos".

Se você for compassivo, bondoso – receberá o retorno.

Se você procurar ver o bem nas outras pessoas – receberá o retorno idêntico.

VIGIAI E ORAI PARA NÃO CAIRDES EM TENTAÇÃO

Um dia, Jesus disse: "Vigiai e orai para não cairdes em tentação".

Vigie, pois, para que a sua oração e a sua palavra sejam sempre positivas.

Devido ao costume de falar coisas negativas, quando você se dá conta, cai na tentação.

Agora, no entanto, você vai vigiar para não cair na tentação.

Sua decisão é forte. Só falará positivamente.

Se, porventura, cair na tentação da conversa negativa, não se aflija e nem se recrimine; comece agora a falar positivamente. O hábito fará você se acostumar a falar sempre positivamente e a viver no mundo positivo.

Lembre-se que vale mais começar a construir a sua mente positiva do que ficar lamentando os erros.

DIGA O QUE VOCÊ QUER DIZER

A oração é a maneira pela qual você acionará o Poder Divino de Deus, imanente em seu subconsciente.

Toda oração, portanto, será consciente, direta, inteligente, definida, positiva.

Você deve saber o que está dizendo e deve dizer aquilo que significa algo na sua vida.

Se orações em formulários já escritos não significarem o que deseja alcançar, você está perdendo tempo.

Disse Jesus: "Não faleis muito quando orais, como fazem os gentios, que cuidam ser atendidos por causa do muito palavreado". (Mt.6,5-15).

Se deseja saúde, faça a oração da saúde. Se deseja paz, faça a oração da paz. Se deseja fraternidade, faça a oração da fraternidade. Se deseja riqueza, faça a oração da riqueza. Se deseja superar o nervosismo, faça a oração da calma.

MENTALIZE A SOLUÇÃO E NÃO O PROBLEMA

Na sua oração, procure não citar o problema e, sim, a solução. Firme o seu pensamento e a sua palavra na sua solução, pois você estará determinando que o Poder Divino execute a solução.

NÃO PRECISA SABER COMO ALCANÇARÁ

Se você soubesse como haveria de alcançar o que deseja, já teria procurado os meios e esses teriam levado você a alcançar o desejado.

Muitas vezes, a sua mente consciente – que é uma faixa muito limitada da mente - não sabe como você alcançará, mas a Sabedoria Infinita, que existe no âmago do seu ser, sempre sabe como, e, infalivelmente, conduzirá você ao objetivo desejado.

Não se preocupe, pois, se você não sabe como conseguirá; não se importe se não tem meios para que aconteça o que deseja; não se aborreça e nem desanime se lhe parece impossível alcançar esse pedido. A sua mente consciente, da qual você tira as informações, é muito limitada e de pequeno alcance. Mas, a mente subconsciente tem alcance total, infinito, ilimitado, portanto sabe como, e levará você pelo caminho certo para a realização da sua palavra, ou seja, da sua oração.

Se você deseja, por exemplo, uma casa, pode, no momento,

não ter dinheiro nem para comprar o banheiro da casa e, então, não sabe como vai conseguir esta casa desejada.

Mas, a Sabedoria Infinita, que existe em você, e que sabe tudo sobre tudo e sobre todos, sabe onde está sua casa e conduzirá você a esta realidade. Não fique, pois, a se lamentar, nem descreia da realização da sua palavra.

Pela palavra, você está acionando a Sabedoria Infinita e o Poder Infinito.

Você tudo pode.

CAPÍTULO 4
COMO ORAR

Como dissemos em outra ocasião, há dois tipos de oração: a oração falada e a oração escutada.

A mais comum é a oração falada, pois é através desta que você manifesta a Deus o que você quer, e faz o seu pedido. Por esta prece, você toma a iniciativa, indo em busca de algum bem para si, espiritual, material, mental ou de qualquer natureza.

A chave do sucesso na oração está em saber orar.

Como orar?

PRIMEIRO REQUISITO: SAIBA O QUE QUER

Ao iniciar a sua oração, saiba o que você quer. Se não sabe o que quer, você ficará perdido por entre um emaranhado de palavras, que podem não ter sentido nenhum para você e, portanto, nada acrescentarão à sua vida.

Se você não sabe o que quer, nada acontecerá, pois não há nada para acontecer.

Defina mentalmente o objetivo da sua oração. Consiga especificar o conteúdo da sua prece.

Se você está triste, por exemplo, faça a oração da alegria; se está sem emprego e deseja um emprego, faça a oração do emprego; se está tomado de ódio, faça a oração do perdão e do amor; se está passando fome, faça a oração do alimento e da fartura; se precisa fazer uma viagem, faça a oração da viagem bem-sucedida; se está doente, faça a oração da saúde; se está sentindo dores, faça a oração do alívio; se está nervoso, faça a oração da calma; se deseja riqueza, faça a oração da riqueza; se deseja uma casa, faça a oração da casa; se não tem memória, faça a oração do reavivamento da sua memória; se deseja casar, faça a oração para atrair o seu verdadeiro Amor; se é infeliz, faça a oração da felicidade; assim por diante.

Saiba o que você quer ao fazer a sua oração, caso contrário correrá o risco de papagaiar. O papagaio fala, mas não sabe o que está falando.

As orações escritas ou impressas são importantes na medida em que lhe dizem o que você quer alcançar.

Recuse-se, então, a fazer oração de sofrimento, de renúncias, de privações, porque é isso que vai acontecer-lhe.

Quem deve escolher o conteúdo da oração é você e não Deus. Deus é o Poder Infinito que se manifesta em você através da sua oração.

Saiba, portanto, o que quer, para que a sua oração lhe traga benefícios.

SEGUNDO REQUISITO: DESEJE REALMENTE

Para que a sua oração tenha força, é preciso que você deseje realmente alcançar o conteúdo das suas afirmações.

Se você está desinteressado naquilo que está orando, sua oração não tem força, não tem finalidade.

O desejo é a alavanca poderosa, capaz de impulsionar a sua prece até Deus. Se você não está interessado realmente, sua oração é sem energia, e se perde logo aí na curva do caminho.

É este tipo de oração que faz a pessoa dormir, cansar, distrair-se, perder a concentração, ficar devaneando no mundo da lua.

Mas, se você deseja ardentemente alcançar aquilo que está orando, você se concentra, põe energia espiritual e não cansa.

O desejo é uma força muito poderosa.

"Seja o que for que desejardes – disse Jesus – quando orardes, crede que tendes alcançado e alcançareis".

"Seja o que for que desejardes".

Em primeiro lugar, é preciso desejar. Assim você estará dando uma razão para a sua prece.

Na verdade, você sempre tem desejos na vida. Faça, então, a sua prece em cima desses desejos e, desta forma, se realizarão.

TERCEIRO REQUISITO: TENHA CLAREZA NA MENTE

Quando você sabe o que quer, fica fácil pedir. Manifeste a Deus o seu desejo, pedindo, declarando.

O receber depende do pedir.

Se você não pede, não recebe.

"Pedi e recebereis" – ensinou Jesus.

Defina com clareza o que você deseja atingir na sua oração.

Vou citar um texto de Norman Vincent Peale, que muito bem ilustra o que estou dizendo: "Às vezes, se vê, em escritórios, uma frase orientadora: "escreva o que deseja", ou "faça um memorando do que deseja". Tal orientação é feita para evitar as intermináveis conversas, as descrições complicadas, os conceitos enevoados. Um princípio inicial na oração é saber exatamente o que desejamos dizer, e, de modo preciso, qual o nosso objetivo. Devemos ser capazes de expor o problema clara e sucintamente. Se tivermos de usar muitas palavras, isso, por si só, torna evidente que não estamos bastante seguros do que temos em mente. Quem pensa nitidamente em seu problema, e o expõe de forma que ele próprio o veja claramente, torna possível, com isso, e para si próprio, a recepção daquelas respostas claras que estão à espera dele na mente de Deus. Só a clareza pode receber claramente". (Pensamento Positivo para o Nosso Tempo).

QUARTO REQUISITO: DIGA O QUE VOCÊ QUER

Agora que você sabe qual é o objetivo da sua oração, diga-a com simplicidade, clareza e de forma positiva.

De nada adianta se lamuriar, queixar-se a Deus, expressar o seu desespero com as palavras mais negras possíveis; de nada adianta tornar, na sua prece, mais desgraçada a sua desgraça, para comover a Deus; de nada vale afundar-se entre o último dos mortais e dizer-se indigno de tudo, incapaz de dar um passo na sua escuridão – tudo isso não leva a nada.

Deus sabe exatamente qual a sua situação.

Ele quer agora ser a realização da sua palavra.

Seja direto, claro e positivo.

Veja nas suas palavras a realização da solução, ou do pedido, e sinta a felicidade de já estar de posse desta verdade.

Diga tudo com suas próprias palavras, do seu jeito, com seus cacoetes. A forma como você se expressa não importa. Importa o que você quer dizer.

Você pode, até mesmo, ler uma oração já existente, que expresse o seu desejo, mas sinta-a brotando da sua mente e do seu coração.

Há pessoas que, na sua simplicidade, rezam, por exemplo, dez Pai Nossos para alcançar a cura do estômago. Neste caso, está acontecendo o seguinte: primeiro, pela oração do Pai Nosso você está entrando em contato com Deus; segundo, pelo seu pensamento, ligado no seu desejo, está fazendo o pedido. É válido.

Masaharu Taniguchi conta, num dos seus escritos, essa história pitoresca: "A Igreja Unity tem a seguinte oração para abençoar o dinheiro, ou os bens, para que eles se multipliquem: "O amor de Deus abençoa-os através de mim e multiplica-os". Uma senhora, que não sabia o sentido e a finalidade desta oração, mentalizou essas "palavras da Verdade" a fim de acabar com os insetos nocivos. A oração produziu efeito imediato, e os insetos desapareceram".

Valeu a intenção e o desejo inscritos na mente daquela mulher. As palavras do texto foram apenas o veículo pelo qual ela comunicou a Deus o seu desejo mental.

Deus atende aquilo no qual você acredita e não aquilo que você diz.

O Pai Celestial atende aquilo que você diz, quando você

acredita no que diz.

Não é a oração, por si só, que é infalível, mas a oração feita com fé, esta sim, é infalível.

Lembre-se mais uma vez, que a melhor oração é a expressa de forma simples, direta, espontânea, que diz o que você quer dizer.

Geralmente, as orações curtas produzem melhor efeito na mente do que as longas e cansativas.

QUINTO REQUISITO: CREIA QUE JÁ ESTÁ ALCANÇADO

Disse Jesus: "Crede que tendes alcançado e alcançareis".

Quando você fizer uma prece, acredite que, pelo simples fato de estar fazendo a oração, já está alcançada. Esta concepção parte da verdade de que Deus sempre é a resposta da sua oração.

Para criar esta realidade, nada melhor do que visualizar o seu pedido como já atendido.

Use a imaginação. O quadro mental tem uma força estupenda. Ao imprimir esta imagem na sua mente, você a vê claramente, nitidamente e, então, conserva, com mais força, esta verdade dentro de si.

A imagem é uma criação divina em você.

O que você tem poder de criar na mente, tem poder de realizar.

Quando você faz a pintura mental do que deseja; quando você forma o quadro na sua mente, você está dando a melhor condição para a sua prece ser atendida.

Nunca se preocupe como é que vai acontecer. Esta é a parte de Deus.

Nem diga a Deus os meios pelos quais deverá ouvir e atender a sua prece. Ele sabe melhor do que você, porque seu conhecimento é infinito.

A você pertence o pedir e crer que já está atendido.

A Deus pertence o dar e saber como vai dar.

SEXTO REQUISITO: PERSISTA

Como o pedir já contém o receber, feito o pedido, mantenha na sua mente esta verdade, persistindo nela com calma e paz de espírito, até que se torne convicção absoluta.

Perseverar na oração é manter a atitude mental de crença na realização da prece.

A persistência não envolve angústia, medos ou ansiedades. Trata-se de uma persistência agradável, alegre, que mantém a gostosa expectativa da realização da prece.

Esta imagem, conservada com fé e tranquilidade na sua mente, apressa a realização, porque torna mais rapidamente unívoco o seu pensamento e, portanto, mais depressa se materializa.

Lembre-se desta verdade: Quem espera sempre alcança.

SÉTIMO REQUISITO: RELAXE E APROFUNDE-SE

Quanto mais você se aprofunda na oração, mais liberto estará seu corpo e receptiva estará a sua mente. É assim que você estabelece estado de harmonia entre a mente e o corpo.

Para ajudar a atingir este estado de meditação profunda, você pode seguir o método de relaxamento de todo o corpo.

Nas profundezas do seu ser, você entra em contato direto com Deus, o Poder Infinito e a Sabedoria Infinita.

Sua oração, neste estado interior positivo e confiante, é infalível.

Feita a sua oração, descanse, pois, assim você dá condições para que Deus lhe fale.

A tensão e a ansiedade impedem a comunicação divina.

Descanse no coração de Deus.

Lourenço Prado escreveu sobre este aspecto da oração: "O sentimento profundo de calma e tranquilidade absoluta durante o tempo em que fizerdes a vossa afirmação é prova certa de que vosso pedido foi atendido e as forças divinas entraram em ação para executá-lo". (Alegria e Triunfo).

Quando você sente um alívio interior, aquela paz e alegria que se sucedem ao dia tormentoso, aquele sentimento de vitória sobre alguma coisa, aquela sensação de que já foi atendido, isto já é sinal de que, realmente, sua prece foi atendida. Neste caso, não precisa mais rezar sobre o assunto. Já está alcançado.

OITAVO REQUISITO: AGORA, AGRADEÇA

Como a sua oração já foi atendida, agradeça desde já.

- Sim – dirá você – mas ainda não aconteceu realmente.

Quando uma oração acontece na mente, acontece materialmente.

Se a matriz do seu desejo está gravada na sua mente como verdade, é impossível não se materializar. É por isso que eu dizia antes, no título anterior, que, ao atingir o ponto mental da certeza, pode desligar a mente, descansar e agradecer, pois tudo já está realizado.

Para completar a sua certeza irremovível, faça agora a prece de agradecimento pela realização do seu pedido.

Agradeça com suas próprias palavras, ou através de um mantra, como esses: "Amém" – "Assim é e assim será" – "Assim é agora e sempre" – "Muito obrigado porque tu me ouviste" – "Graças te dou, ó Pai!"

Ou você pode fazer a seguinte prece: "Obrigado, Pai Celestial, que habitas o meu secreto, porque tu me ouviste. Eu sei que tu sempre me ouves, porque nós dois somos um. Tu és sempre a minha resposta, como ensinou teu filho divino Jesus, quando disse: "Pedi e recebereis, porque todo aquele que pede recebe".

Estou feliz e agradecido porque teu poder e sabedoria estão se manifestando, desde já, em mim.

Como é bom e maravilhoso, ó Pai, conhecer a verdade de que tu sempre ouves e atendes as preces!

Sinto-me descansado, aliviado, alegre e muito grato, ó Pai Celestial!

Obrigado! Obrigado! Porque assim é agora e sempre. Amém".

O amém, que você diz no final da sua prece, significa: Assim é. Em outras palavras, mantenha na mente esta verdade: Deus ouviu o meu pedido.

Não aceite nenhum pensamento de dúvida ou de medo.

"Deus ouviu o meu pedido".

"Estou sendo atendido divinamente".

"Sei que assim é e assim será".

Não há necessidade de se esforçar por convencer a Deus. Você e Deus são uma unidade, de tal modo que o seu pensamento é o pensamento de Deus, o seu desejo é o desejo de Deus, a sua resposta é a resposta de Deus.

Por que então esforçar-se?

Emmet Fox já dizia, num de seus livros, com muita razão: "Na oração ou tratamento, (como na maioria das coisas), quanto menos esforço você fizer, melhor. Na verdade, o esforço derrota a si mesmo. Ore suave, docemente, sem tensão".

Aí está uma grande verdade.

A oração nasce da certeza e transcorre suavemente como a brisa sobre os trigais.

CAPÍTULO 5
ORAR NÃO É FAZER SACRIFÍCIOS E PENITÊNCIA

Certa vez, um senhor me disse que, só de ouvir falar em reza, sentia uma revolta quase incontrolável. E contou-me que, quando pequeno, era levado pelos pais à igreja, onde devia permanecer horas e horas nos bancos duros, sem se mexer, sem poder falar, sem poder sair para as necessidades, muitas vezes caindo de fome e cansaço. Quando jovem e adulto, participava de longos encontros de oração, que pouco ou nada lhe diziam, muitas vezes até o deixando deprimido, porque as orações davam a entender que ele era mau, que as pessoas eram más, que o mundo era mau e que esta vida não tinha sentido; só lhe restava a esperança do céu, que lhe era colocado muito mais longe do que o inferno.

Oração não é uma declaração de pequenez diante de Deus, o que aumenta a distância entre você e Deus, mas é um estado de comunhão com Deus, uma unidade com o Pai. Este é o instante da mais elevada grandeza humana e, nessa Luz Divina, é vista a humanidade, o mundo e todo o universo. Prece, portanto, é momento de elevação interior.

A oração é um estágio de interação com Deus, com a Felicidade Infinita, com o Bem, com o Amor Infinito, com a Fonte da energia, e não tem nada a ver com sacrifício, penitência, posição incômoda, cansaço, dor e sofrimento.

Lembre-se que Deus não é sádico, para se comprazer com sacrifícios, penitências e dores.

SINTA O PRAZER DA ORAÇÃO

Orar é falar amor, cantar alegria, festejar a vida, encontrar-se com o Pai, mergulhar na Luz, pôr a taça na Fonte da Energia, estender as mãos para a abundância material.

Ao invés de ajoelhar-se sobre pedra dura, busque acomodar o seu corpo, a fim de que não atrapalhe a mente.

Ao invés de realizar longas orações sobre aquilo que não lhe diz nada, concentre os seus pensamentos no seu mundo e no mundo que deseja para toda a humanidade. Como a prece produz a realidade do seu conteúdo, você emerge dessa oração mais feliz, mais pleno de energia, mais confiante e mais iluminado.

Não é o muito falar que chega a Deus, mas a concentração e a fé.

Deus é Pai e não um tirano a exigir que fique horas e horas em posição de sentido e dando-se a longas e cansativas reverências.

Como é que você conversa com seu pai? Faça assim no seu encontro pessoal com o seu Pai Celestial. Você é filho de Deus, portanto, sinta-se em casa, bem à vontade.

E, assim como não repete mil vezes a mesma coisa para o seu pai, não precisa repetir tantas vezes a mesma coisa para o Pai Celestial, pois ele não é tonto, nem insensível, nem distraído, nem surdo.

DEPENDE DE VOCÊ

O resultado da sua oração depende apenas de você e não de Deus. Deus é sempre a resposta total de toda oração unívoca, acreditada, confiante.

As repetições, as insistências, você as faz para si mesmo, isto é, para fortalecer a sua fé e não para convencer a Deus. Quando você se convence a si mesmo, Deus já está convencido, pois Deus age em você somente através de você.

Às vezes, você pede uma coisa, mas pensa que vai acontecer exatamente o contrário. Para que lhe aconteça essa coisa boa que está pedindo, você precisa tornar unívoco, e sem contradições, o seu pensamento. Para isso, você se serve do reforço da repetição, da insistência, da meditação, da mentalização, da vela acesa, da novena, da peregrinação, do sacrifício, da esmola, da boa ação, do canto, da procissão, da promessa e de outras formas usuais. Tudo isso não tem nada a ver com Deus, mas com você.

A Lei de Deus é que toda palavra de fé, todo pedido feito com fé, obtém o resultado do Alto. Para que exista essa fé, muitas pessoas usam de múltiplos rituais. Veja bem, para atingir o estado de fé, e não para convencer a Deus.

Deus é sempre a resposta da sua oração feita com fé.

"A fé – volto a repetir – é não duvidar em seu coração, mas crer firmemente na realização da sua palavra". Esta definição é de Jesus.

Fé, portanto, não significa fazer orações sacrificadas e sofridas, mas simplesmente crer no conteúdo da sua oração. Ponto final.

A fé é um estado mental. Não pense, pois, que a fé está nos joelhos, ou nos grãos do terço, ou nos livros de reza, ou nos pés descalços, ou na vela acesa, ou na hora santa. Tudo isso pode ser importante para ativar a sua fé. Mas não é a fé. Pode ser objeto da fé, mas não é a fé.

A fé, que produz o milagre, é crer firmemente na realização da sua palavra; é ter certeza absoluta que sua oração é atendida. Essa é a fé que produz as obras.

ORAR NÃO É FAZER PENITÊNCIA. É PARTICIPAR DO BANQUETE CELESTIAL

O reino dos céus – disse Jesus – é um banquete.

Ouvindo esta verdade, tão linda e tão fascinante, um homem se empolgou e gritou no meio da multidão:

- Feliz de quem se banquetear no reino de Deus!

No banquete, você está comodamente sentado, vivenciando o prazer da comida e da bebida, curtindo a alegria da festa e comungando com a confraternização de todos os comensais.

A oração é a sua festa interior, que se expressa exteriormente.

Praticar penitências físicas para agradar a Deus é supor que Deus se compraz com o sofrimento. Já disse que Deus não é sádico.

Praticar sacrifícios penitenciais para aplacar a ira divina incendiada pelos seus pecados é outro equívoco pavoroso, como se os seus erros e fraquezas mudassem o humor divino.

A única maneira de compensar o mal é praticar o bem. Simples, não?

Outro equívoco é imaginar que Deus castiga você. Deus não castiga ninguém. É você mesmo que tem os seus próprios resultados.

A Lei do Retorno já é a explicação das consequências dos seus males.

Jesus ensinou que, pela Lei do Retorno, todo o bem que você pensa, fala, deseja ou faz a alguém, acontece, em primeiro lugar, a você e retorna multiplicado; e todo o mal que você pensa, fala, deseja ou faz a alguém, acontece, primeiramente, a você e retorna multiplicado.

Não se trata, pois, de castigo, mas, sim, de resultado. Por outra, realiza-se em você a Lei de Causa e Efeito. Você é o resultado da sua própria causa.

Deus é só o Bem, o Amor, a Felicidade, a Paz, o Reino dos Céus, a Saúde, a Perfeição.

Ligando-se em Deus, liga-se em todo o Bem; ligando-se no Bem, liga-se em Deus. Seja qual for a sua religião.

Ligando-se no mal, sob qualquer forma, recolhe os resultados do mal, e não o castigo de Deus.

A penitência dos seus males – se assim poderíamos falar – não é nada mais do que voltar-se para o bem, isto é, para a paz, para o amor, para a felicidade, para a saúde, para a harmonia, para a bondade, para a fraternidade, para a alegria, para a luz, para o mundo bom e positivo.

Para dar-lhe um exemplo bem simples: Se você deixou-se levar pela raiva, ao invés de ficar ajoelhado em pedrinhas, como penitência, faça a prece da calma, da paz, do amor, da paciência, e sorria cinquenta vezes no dia. Esta é a mais bela e perfeita compensação. O mal se compensa com o bem, e não com outro mal.

Agora você está percebendo que o mundo de Deus é um mundo simples, fácil, agradável, positivo, benéfico, cheio de luz e de vida maravilhosa.

Pense sempre que este mundo é o seu reino dos céus, a casa do seu Pai, e que a sua vida é um banquete de todos os dias.

CAPÍTULO 6
SUA VIDA É A SUA ORAÇÃO

Um dia, enquanto esperava no aeroporto do Rio de Janeiro, veio cumprimentar-me uma senhora, muito feliz e sorridente.

- Olha, Padre Lauro, desde que participei da sua jornada, sinto-me outra pessoa. Renasci. Todos os dias eu mergulho a minha mente na Mensagem do Amanhecer, depois mentalizo um dia feliz, abençoado, saudável e de sucesso; durante o dia, mentalizo as minhas jaculatórias positivas; e sempre me sinto maravilhosamente bem.

Nem bem se passaram quinze minutos, veio ao meu encontro outra pessoa, muito abatida, o rosto carregado, o sofrimento transparecendo em todo o corpo.

- Não estou numa boa – disse-me a pessoa. – Ando numa depressão, num desânimo, que nem sei...

- É preciso trocar os pensamentos – aconselhei-a. – Mentalize a solução e não o problema.

- Pois, olha, eu rezo várias horas por dia. Pertenço a grupos de oração, leio a Bíblia, mas estou passando por bocados difíceis.

- Você deve lembrar que, nas jornadas, eu falo sobre as leis da mente. Uma das leis é esta: O semelhante atrai o semelhante. Este enunciado quer dizer que pensamentos positivos produzem resultados positivos, assim como oração de amor produz amor, oração de alegria produz alegria, oração de paz produz paz. Se, com tantas horas diárias de oração, sua vida não é maravilhosa, deve haver algo de errado. Basta você saber que todo pensamento é uma realidade mental que se expressa materialmente. Toda oração acreditada nem pode deixar de tornar-se realidade na vida de uma pessoa.

SÓ PALAVRAS NÃO BASTAM

Continuei conversando com aquela pessoa. Podia ser que o conteúdo da sua oração não tivesse nada a ver com as suas necessidades interiores; podia acontecer, também, que só rezasse com os lábios, mas o coração estivesse longe, como reclamou, certa feita, Jesus.

Disse ele: "Este povo me honra com os lábios, mas o seu coração está longe de mim". (Mt. 15,29).

Há uma passagem, na Bíblia, que ensina: "Aquele que só busca palavras não terá nada, mas o que é possuidor de entendimento arma a sua alma". (Pr.19,8).

Procure harmonizar as palavras da sua prece com seus anseios interiores, proferindo-as com entendimento e compreensão.

Em outras palavras, saiba o que está dizendo e diga apenas o que deseja dizer.

O Mestre, certo dia, deu uma lição de como se deve orar. Entre outras coisas, falou: "Não faleis muito quando orais, como fazem os gentios, que cuidam ser atendidos por causa do muito palavreado". (Mt. 6,5-15).

Segundo alguns mestres modernos, a oração ideal é simples, direta, espontânea, compreendida, acreditada e curta.

Deus sabe o que você precisa, portanto de nada vale dar-se a longas orações repetitivas, a não ser que assim você o faça com o intuito de reforçar a sua fé.

Para Deus, basta uma palavra, desde que o seu sim seja sim e o seu não seja realmente não.

Emmet Fox escreveu que "as orações curtas quase sempre são melhores do que as longas".

Eu, quando faço orações comunitárias, às vezes me sinto atrapalhado, porque gosto de pensar com calma e lucidez no que estou dizendo ou ouvindo, ao passo que a oração feita em comum não pode parar para que cada um acompanhe o raciocínio.

Não quero dizer que não tenha valor a oração comunitária. Tem e muito, porque, quando muitas mentes estão ligadas na oração, a energia é imensamente maior, a comunhão de pensamentos tem melhores condições de acontecer e o benefício de cada um se multiplica em razão do todo.

Mas, a prece comunitária não pode deixar de conter a essência da oração, que é o contato com Deus.

VOCÊ É O RESULTADO DA SUA ORAÇÃO

A escritora Catherine Ponder fez a seguinte colocação, no seu livro "A Oração, Chave de Todas as Riquezas": "A mente é o elo de ligação entre Deus e o homem; e a prece é o método de pensamento que liga Deus e o homem".

Se a oração é o método de pensamento que liga Deus e o ser humano, toda a prece é um contato com a luz, com a energia infinita, com as forças superiores, e estas forças obrigatoriamente devem manifestar-se na vida de uma pessoa, tornando feliz o seu viver.

Pense comigo: a oração é uma ligação com Deus; ora, Deus é felicidade; portanto, a oração produz a felicidade. Daí a conclusão de que, quanto mais uma pessoa ora, mais feliz ela é. E essa felicidade se expressa em todo o seu corpo, porque o corpo é resultado da mente.

- Pelos frutos se conhece a árvore – disse sabiamente Jesus.

E explicou:

- Nenhuma árvore boa produz frutos maus; nenhuma árvore má produz frutos bons. Cada árvore se conhece pelo fruto que lhe é peculiar; pois, não se colhem figos de abrolhos e não se vindimam uvas de espinheiros...(Mt.7,15-20).

Conclui-se, pelas palavras do Mestre, que, se a vida de uma pessoa, que ora muito, não é boa, pode acontecer que reza uma coisa e pensa outra; ou que esteja fazendo oração negativa e prejudicial; ou que não acredite no poder infalível da sua oração; ou que esteja fazendo oração oposta à suas necessidades; ou, ainda, pode ser que esteja fazendo a oração dos outros e não a sua oração.

Pela vida se conhece a oração de uma pessoa. A vida é a materialização da prece e dos pensamentos da pessoa.

Oração é pensamento e todo pensamento unívoco se expressa na vida humana.

Se você é um resultado mau, sua oração é má, pois, pelos frutos se conhece a árvore; se você é um resultado bom, sua oração é boa.

Fica fácil, pois, concluir que sua vida é a materialização da sua oração.

Uma pessoa feliz é uma pessoa em ligação permanente com Deus, com a Felicidade, com a Vida, com a Luz, com o Amor. Este é o supremo estágio do ser humano.

Se você vê uma pessoa alegre, feliz, agradável, meiga, de bom coração, tolerante, amiga, prestativa, positiva, pode ter certeza que esta pessoa está em comunhão com o Bem, que é Deus, mesmo que nunca tenha posto os pés na igreja.

Pelos frutos se conhece a árvore.

Quando eu era criança, por determinação dos meus pais, devia assistir duas missas a cada domingo. Uma das coisas que me impressionavam era ver pessoas, na porta da igreja, recém-saídas da prece e da comunhão, falarem mal do fulano por isso e por aquilo; da sicrana, por aquela outra razão; do padre, por essa ou aquela situação.

Essas pessoas entraram na igreja apenas para cumprirem uma obrigação ou um ritual dominical.

É claro que não havia maldade nelas, mas apenas ignorância. A oração legítima não aconteceu, pois, se tivesse acontecido, sairiam da igreja felizes, abençoando as pessoas, a vida, o universo e todos os seres existentes, que fazem parte da nossa comunhão universal.

DIZE-ME COM QUEM ANDAS E TE DIREI QUEM ÉS

O famoso filósofo grego Sócrates, que viveu por volta de quatrocentos e cinquenta anos antes de Cristo, fez uma afirmação, que se tornou célebre: "Dize-me com quem andas e dir-te-ei quem és".

Se você me disser qual é o conteúdo da sua oração, dir-lhe-ei quem é; se me disser quem é você, dir-lhe-ei qual é o conteúdo da sua oração.

Sua vida é a sua oração; sua oração é a sua vida.

Se você se sente amarrado, apertado, diante de barreiras intransponíveis, deprimido, abatido, sufocado, sofrendo cefaleias, falta de ar, problemas estomacais, coração sem vitalidade, veja se a sua oração não está cheia de palavras que expressam sofrimento, renúncia, doação, submissão, sacrifício, entrega, despojamento, cruz, abandono, perda de identidade, aniquilamento, miséria, pequenez.

Lembre-se que a sua palavra é a sua oração; e a sua oração acreditada é a sua realidade existencial.

Palavras negativas produzem resultados negativos.

Cada árvore só pode produzir o fruto que lhe é peculiar.

- Mas, como é, então, que vou rezar? – perguntará, inquieto, você.

- Busque orações e fórmulas que contenham palavras de conteúdo positivo; que expressem energia benéfica; que impulsionem você para cima e não para baixo; que façam você tocar o manto de Deus e não o pó da terra; que signifiquem luz e não sombra; que mostrem o mundo como criação divina e não como o centro do mal. Que suas orações sejam plenas de palavras que expressem amor, paz, alegria, felicidade, luz, poder, sabedoria, harmonia, bondade, generosidade, libertação, grandeza interior, força, energia, coragem, saúde, vitalidade, abundância, verdade, compreensão, carinho, ternura, elevação, sublimidade, coração, fé, esperança, beleza, maravilha, grandiosidade, afeição, amizade, entendimento, divindade, comunhão e tantas outras palavras que, como disse Jesus, são espírito e verdade.

A ORAÇÃO DA RELIGIOSA

- Acontece que eu preciso fazer a prece da submissão às superioras, a prece da obediência, da limitação do meu viver – disse-me uma religiosa.

Você pode dizer estas mesmas verdades sem sentir-se anulada. Por exemplo: "Pai Celestial, obrigada por que tu me criaste livre e inteligente, com a missão maravilhosa de realizar os grandiosos ideais da minha congregação. Sigo em frente feliz e cheia de luz, irradiando a tua presença na minha comunidade, diante das superioras e em qualquer lugar. Sinto-me grande e livre por optar por esse caminho, no qual me realizo plenamente. Vejo na superiora, e em todas as pessoas, a tua face e procuro o lado divino da Verdade em cada palavra. Ouço a voz humana com respeito e carinho, como desejo que ouçam a minha palavra. Reflito em estado de paz e sabedoria e sigo a tua voz, que sempre me fala nas profundezas do meu ser. Sou livre, feliz e festejo cada dia como um renascer para a vida, para o bem, para o amor, para a luz e para a felicidade. Amém".

CAPÍTULO 7
A ORAÇÃO MAIS ALTA

A falta de uma compreensão mais profunda da oração pode torná-la sem sentido, cansativa, indesejada.

Pode ser que este seja um dos motivos que levam tantas pessoas a detestarem a igreja.

Até, é bem possível que tenham razão.

Quando se reúne um grupo de pessoas, por exemplo, numa igreja para orar, provavelmente alguém pega um livro e leva todo mundo a dizer a mesma coisa, ao mesmo tempo.

Imagine se, na sua casa, resolvessem todos os familiares pegar um livro qualquer e ler vinte páginas em voz alta para prestar homenagem ao pai, no dia do seu aniversário. No mínimo, seria uma coisa esquisita e não transmitiria nenhuma comunicação de afeto, de gratidão e de felicitações.

E, por que será que, numa igreja, todos pegam um livro e leem em voz alta palavras comuns, às vezes sem significado maior, querendo com isso realizar uma comunicação de amor, de agradecimento e de comunhão com o Pai?

No meio desta multidão orante, alguém pode estar feliz da vida e, no entanto, fica dizendo um texto que expressa "sofrimento e prantos sem fim, num vale de lágrimas..." Este, na verdade, não está dizendo coisa com coisa.

Por que, ao falar com seu pai, você diz o que está pensando, raciocina a sua ideia, passa-lhe o que vai por dentro de si, fala do mundo que os dois entendem, expressa a sua verdade, transmite seu ponto de vista, diz a sua situação e, no entanto, na conversa com o Pai, lê uma fórmula, transmite vinte vezes a mesma coisa, repete dez vezes uma situação genérica, enrola palavras pomposas em frases da Idade Média, diz uma coisa e pensa outra, fica rodando os mesmos elogios durante minutos e minutos?

Faz-me lembrar uma piada que foi contada pelo artista Lima Duarte, num programa de televisão. Havia um caboclo, no interior, que tinha uma fórmula milagrosa para curar dor de barriga. Mandava dizer vinte vezes "Dóminus teco".

Um dia, chegaram alguns cientistas para estudarem este método de cura e perguntaram ao matuto o que é que significa o "Dóminus teco."

- Óia – respondeu o caboclo – o que significa não sei, mais garanto que cura dor de barriga!

O desinteresse pela oração é provocado pela dicotomia entre o que se diz com o que se pensa; entre o que se pede e o que se deseja; entre as necessidades individuais e as necessidades coletivas colocadas.

Quando há desinteresse, há tédio. E aí a oração se afigura apenas como obrigação religiosa.

Orar é muito mais.

A DIMENSÃO INFINITA DA PRECE

Começa que orar é realmente uma honra extraordinária, porque está tendo audiência particular com o criador das galáxias, com o matemático que calculou o equilíbrio das energias físicas, com o inventor das flores, com o cientista que imaginou os átomos, com o artista que produziu as aves, os animais e os peixes...

Orar é o abraço do finito com o Infinito.

Orar é a via de comunicação entre o ser humano e seu Pai.

Orar é colocar a chave no depósito infinito e recolher o que quiser.

Orar é transformar palavras em realidades físicas.

Orar é exercer a fórmula do milagre.

Orar é ser e ter.

Para quem tem essa compreensão, não existe desinteresse, nem cansaço e nem tédio na oração.

A oração legítima nasce no fundo da alma e não nas páginas de um livro.

A prece publicada em livros pode, eventualmente, servir-lhe e pode não lhe dizer nada. Se não lhe diz nada, também não diz nada a Deus.

Verifique, pois, se a oração lida ou decorada expressa exatamente o seu pensamento, o seu sentimento, as suas necessidades e desejos. Se assim for, esta prece será tão valiosa quanto a oração criada pela sua mente.

A sua oração íntima, profunda, mesmo que seja de cinco palavras, cheias de erros gramaticais, simples como o pó da estrada – esta é a prece mais perfeita para você e Deus.

É possível que, ao ler estas linhas, você fique um tanto quanto confuso e pergunte:

- Mas, se o homem é um ser social, se o cristão é Igreja, sua oração não deve ser comunitária?

Sim, realmente o ser humano é ele e mais o universo, porque todo o universo se encerra dentro de si. No entanto, não vai querer reunir todo o universo ou toda a humanidade para fazerem juntos uma prece que seja um brado universal.

Você é que fará da prece uma comunhão eclesial e nem pode ser diferente, porque cada palavra sua alcança todo o universo. A conclusão, portanto, não é que sua prece seja feita juntamente com todos os seres do universo, em união física, mas que sua prece contenha em si a comunhão universal.

Se a sua oração contém ódios, maledicências, propósitos nefastos, negativismos, pessimismos, insatisfações, sofrimentos, não está em comunhão universal, porque Deus e o universo são o Bem e você não se ligou em Deus e nem no universo, mas no mal.

Pode-se, então, concluir que a oração mais alta e mais perfeita é o seu estado interior de comunhão com Deus e com o universo de Deus. Por isso, orar não é apenas exercer comunicação oral ou meditativa com Deus, mas todo seu modo de ser mental e físico pode, só por isso, ser oração. Sua palavra benéfica e positiva é oração; seu cantar benéfico e positivo é oração; seus gestos benéficos e positivos são oração; seu trabalho benéfico e positivo é oração; seu sorriso benéfico e positivo é oração; sua invenção benéfica e positiva é oração; sua prática esportiva benéfica e positiva é oração; sua piada benéfica e positiva é oração.

Não é preciso que você tenha conhecimento desta verdade e nem é necessário que você, antes de cada situação dessas, se conscientize de que vai orar.

O Bem, sob qualquer forma de expressão, é oração.

A ORAÇÃO MAIS PERFEITA

A oração mais perfeita é o estado interior e exterior de felicidade.

Razão tinha Bhagwan Shree Rajneesh, quando escreveu: "Uma pessoa realmente feliz não precisa rezar. Sua oração é a própria felicidade. E não existe oração mais alta do que ser feliz...Seja feliz e está sendo religioso. A felicidade é a meta".

Na verdade, se você é feliz, está sendo a mais perfeita manifestação de Deus na terra.

Não há maior contradição no mundo do que ver uma pessoa se dar a longas e intermináveis horas de oração verbal ou meditativa e ser infeliz.

- Mas – dirá você – para ser feliz é preciso fazer a oração da felicidade.

Muito bem.

Você é a sua mente. Se criar a felicidade na mente, seja pela palavra, ou pelo desejo, ou pela imagem, ou pela meditação, ou pela oração da felicidade, publicada num livro, será feliz, porque a palavra produz a realidade do conteúdo da palavra. Toda oração ou mentalização acreditada produz o resultado correspondente.

Pois bem, agora tornou-se feliz. Felicidade é estado interior. Como todo estado interior se expressa no mundo exterior, seu corpo se torna feliz, a vida se torna felicidade, o universo é felicidade, tudo é felicidade em você. E essa é a mais completa e perfeita comunhão humano-divina.

Ser é muito mais do que orar, porque o ser é a oração e mais o seu efeito; quer dizer, é a oração e mais o resultado da mesma. Sim, porque pode existir oração sem resultado nenhum, quando ela é feita apenas da boca para fora. Neste caso, não se realiza na pessoa.

ESTE É O REINO DOS CÉUS

Jesus veio a este mundo para, entre outras coisas, ensinar o caminho do reino dos céus.

- O reino dos céus está dentro de vós mesmos – disse ele.

Esta é uma verdade meridiana.

Quando o reino dos céus – que é o estado de felicidade – está dentro de você, consequentemente o seu mundo exterior também será reino dos céus, tal como afirmei há pouco.

A meta é o reino dos céus. Portanto, a meta mais alta é ser feliz.

Uma pessoa feliz está no reino dos céus – quer saiba disso ou não, quer seja cristã ou não.

Quando se diz que sem Jesus não há salvação, não quer dizer que, para uma pessoa se salvar e ser feliz, deva conhecer Jesus. Se assim fora, no máximo apenas dois bilhões de cristãos, entre os sete bilhões de habitantes do nosso planeta, se salvariam e seriam felizes.

Como Jesus ensinou verdades divinas e universais, é lógico que, sem o cumprimento dessas verdades, uma pessoa não consegue se salvar ou ser feliz. Mas, a verdade é universal e já existia também antes de Jesus. Ele foi enviado para revelar, ensinar e clarificar essas verdades.

Mas, muitos destes mesmos princípios universais já eram praticados por milhões de pessoas antes de Cristo; outros permaneciam ocultos ou desconhecidos.

Um índio feliz é um índio em interação com seus semelhantes, com os animais, com a natureza, com o universo, com Tupã e, por isso, é um santo.

Sendo santo, alcançará a glória infinita. Mesmo que nunca tenha ouvido falar de Jesus.

Se você senta num banco da Praça da Sé, em São Paulo, verá pessoas saindo da catedral, pessoas saindo do metrô, pessoas olhando os camelôs, pessoas namorando, pessoas descansando, pessoas num papo descontraído, pessoas fazendo negócios, falando em política, e por aí afora. Olhe bem para cada uma. As mais felizes, as mais harmoniosas, as mais irradiantes, não são obrigatoriamente aquelas que estão saindo da igreja catedral. E você há de concordar comigo que as pessoas mais harmoniosas e mais felizes são as que estão mais perto de Deus.

Um dia, Jesus falava sobre o reino dos céus, explicando a felicidade que inunda as pessoas que o têm em si.

Um homem, no meio da multidão, ficou tão empolgado que gritou:

- Feliz de quem se banquetear no reino de Deus.

Viu você? O reino de Deus – como consta nos evangelhos – é comparado a um banquete. Banquete é estado de festa, estado interior de felicidade.

A oração é um banquete e o banquete se torna oração. Estupendo!

Isto é perfeição.

Rajneesh escreveu que "um homem cheio de graça não precisar orar – a oração é um substituto menor".

E ele disse mais: "Você pode comer o seu alimento de tal maneira que venha a se tornar uma prece".

É exatamente disso que eu estava falando.

Quando a humanidade se conscientizar dessa verdade, a oração dominará o mundo; as igrejas estarão repletas e a vida será um paraíso, ou seja, uma festa sem fim.

Há dias estava lendo o livro "O Segredo dos Segredos", de Andersen, e deparei com uma passagem que confirma o que escrevi acima: "À medida que a humanidade percebe que existe um poder maior, um eu maior, com o qual cada um pode identificar-se e ao qual cada um pode permitir que dirija seus negócios, torna-se inevitável que os homens cresçam na imagem de seu poder. Quanto mais Deus for procurado conscientemente nos assuntos humanos, tanto mais rápido será seu surgimento na terra. Chegará o dia em que todas as pessoas se reconhecerão corretamente como apenas instrumento e terão sua identidade num mundo de existência espiritual. Serão o que são porque existem, mas sempre saberão que sua verdadeira existência é infinita, eterna e imutável. Sua consciência será a de Cristo, e cada um terá encontrado em si mesmo a fonte de toda alegria, o reino dos céus".

E cada um terá encontrado em si mesmo a fonte de toda alegria, o reino dos céus. Viu só?

Sim, realmente o reino dos céus já existe dentro de cada um. Basta que a pessoa acredite nessa verdade para começar a abrir a primeira porta. A segunda porta será aberta quando você se imagina nesse reino dos céus. Ao imaginar-se de posse dessa verdade, a encontrou. Pois, aí está o caminho. Por esta segunda porta, você já entra no seu reino dos céus interior. Nesse estágio maravilhoso, sua vida torna-se uma festa.

Recebi hoje carta de uma senhora, que participou da jornada que realizei sobre o poder da mente, na cidade de Cascavel. Ela estava muito feliz e sua vida mudou completamente para melhor. Mas, no fim da correspondência, ela se preocupava com esta afirmação de Tomás de Kempis: "Mal acaba uma tribulação, outra sobrevém. E sempre teremos que sofrer, porque perdemos o dom da primeira felicidade".

Não sei se Tomás de Kempis realmente escreveu assim. Basta, no entanto, a pessoa se conscientizar de que Deus não manda tribulação para ninguém, para saber que o dom da vida não é a tribulação, mas a felicidade. Quanto mais perto de Deus está uma pessoa, mais feliz é esta pessoa, e sua vida se torna o próprio reino dos céus. Assim ensinou o Mestre. O resto corre por conta dos conceitos e ascese de cada pensador. A verdade não é o resultado da autoridade, mas é resultado da própria Verdade. E o conhecimento da Verdade libertará o ser humano – ensinou Jesus.

Agora você encontrou o dom da primeira felicidade e ela está ao seu alcance.

É o que diz a Bíblia: "Não dês tristeza à tua alma, e não te aflijas a ti mesmo no teu conselho. O júbilo do coração, esse é a vida do homem, e um tesouro inexaurível de santidade. E o regozijo do homem é a longevidade da sua vida." (Ec. 22,23).

O normal da vida humana, pois, conforme a Bíblia, é a alegria do coração e não a tribulação.

Este estado interior de alegria produz saúde e longevidade.

Quero citar, ainda, Emmet Fox, autor de vários livros. Ele tem uma frase que confirma o que escrevi até aqui: "A alegria de viver é a oração mais elevada de todas".

Então, pense felicidade e sua vida será felicidade. Assim sendo, você será a mais perfeita oração de felicidade.

E SE VOCÊ NÃO É ASSIM?

Entre a verdade e a realidade pode haver uma imensa distância. Isto, porém, não é nenhum motivo para desânimo. Pelo contrário, dê o primeiro passo agora mesmo e já estará mais pertinho da felicidade total. Dê o segundo passo e sua vida será muito melhor do que até aqui.

Desde hoje, faça a oração da felicidade, pela qual você se sente maravilhosamente bem consigo mesmo, com Deus, com a humanidade e com o universo. Para sentir-se bem consigo mesmo, fará a prece da paz, do amor, da alegria, da bondade, da paciência, da autoconfiança, da fé, da harmonia, da inteligência, da saúde, da abundância, do sucesso, da iluminação interior; para sentir-se bem com a humanidade, fará a prece da harmonia, da concórdia, do amor, da bondade, da compreensão, da tolerância, do pensamento positivo, da boa vontade, da solidariedade, da justiça, do equilíbrio, do afeto, da ternura, do reconhecimento de que todo ser humano é filho de Deus, da fraternidade; para sentir-se bem com o universo, fará a prece pela qual se sente uno com a natureza, com os animais, com as aves, com este mundo tão bonito e grandioso.

Esta interação total chama-se felicidade.

Pensar é ser. Pense felicidade e será feliz.

Pense o reino dos céus e o reino dos céus iluminará sua vida.

Faça assim muitas vezes por dia através da palavra, da meditação, do pedido, da oração, da mentalização, e você se transformará.

Nada é difícil. Basta persistir.

Quem espera sempre alcança.

CAPÍTULO 8
A ORAÇÃO CURA AS DOENÇAS

Certa vez, um pai aproximou-se de Jesus, levando o seu filho, que sofria de ataques, e disse ao Mestre:

- Se puderes fazer alguma coisa, tem piedade de nós e ajuda-nos.

Disse-lhe Jesus:

- Quanto ao poder, quem tem fé tudo pode.

E curou o menino. (Mc 9,14-29).

A fé, como ensinou o Mestre, cura todas as doenças. Não importa que nome tenham dado à sua doença. Ela tem cura.

O primeiro passo para você alcançar a cura do seu mal é ter a certeza de que tem cura.

Se você pensar que seu mal é incurável e que sua doença é irreversível, está bloqueando a força curadora.

Nenhuma doença resistiu ao método de cura pela fé, usado por Jesus. Ensinou seus discípulos a usarem o método da cura pela fé e eles também alcançaram curas maravilhosas.

Contam os Atos dos Apóstolos que "havia na proximidade deste lugar um domínio pertencente ao Primeiro da ilha. Este nos recebeu e nos albergou de bom grado durante três dias. Justamente o pai de Públio, atacado de febres e de disenteria, estava acamado.

Paulo foi vê-lo, orou e impôs-lhe as mãos e ele sarou. Diante disso, os outros doentes da ilha também o procuraram e foram curados. Por isso, cumularam-nos de todas as espécies de atenções e, à nossa partida, proveram-nos do necessário." (Atos, 28,7-10).

O livro dos Atos dos Apóstolos narra muitas curas realizadas pelos discípulos de Jesus.

Mas, Jesus ensinou que todos têm o poder de curar as suas doenças, porque a fé é um dom existente em qualquer criatura humana.

O apóstolo Tiago, numa de suas cartas, escreveu: "A oração da fé curará o doente e o Senhor o porá de pé".

Note bem que Tiago não disse que a oração da fé talvez possa curar a sua doença. Nada disso. A oração da fé, sem dúvida nenhuma, curará o enfermo, seja qual for a doença.

Tiago ainda acrescenta: "E se tiver cometido pecados, estes lhe serão perdoados". Portanto, a oração da fé não só elimina o efeito, como também a causa.

Recorde, mais uma vez, a história daquela mulher que sofria de um fluxo de sangue. Em doze anos de tratamento, nenhum médico conseguira curá-la. Gastara toda a sua fortuna em vão.

Um dia, Jesus percorria as ruas da cidade onde morava esta senhora. Ao saber da presença de Jesus, a mulher ficou feliz e alimentou a certeza de que a curaria. Dizia consigo mesma: "Se lhe tocar sequer o manto, serei curada". Esta era a oração da fé daquela mulher. Oração simples, direta, decidida, definitiva: "Se lhe tocar sequer no manto, serei curada".

Ao tocar o manto de Jesus ficou instantaneamente curada. (Mt. 9, 18-26).

A ORAÇÃO DA FÉ CURARÁ O ENFERMO

A oração da fé produz o milagre.

Não importa o tamanho da prece, não importam as palavras, nem mesmo a correção gramatical. O que importa é a fé que se expressa através das palavras.

Não adianta você trocar de oração a cada dia para ver se aquela outra fórmula consegue a cura. Quem cura é a fé.

Mesmo que você faça uma oração curtinha e cheia de erros gramaticais, se tiver fé, acontecerá o milagre.

A melhor oração da cura é aquela cujo texto contém a verdade da cura e cuja mentalização faça explodir a fé. Neste caso, a cura é infalível.

"E a oração da fé curará o enfermo".

Antes de tudo é preciso saber que não se trata de implorar a cura. A sua oração de cura não é propriamente uma súplica. A súplica implica em dúvida, isto é, em possibilidade de ser ou não atendido. Mas, a oração não depende de fatores incontroláveis, nem de sorte. A prece obedece às leis espirituais, por isso toda oração, feita com fé, é infalível; ou, como escreveu o Apóstolo Tiago – e já citei – "a oração da fé curará o enfermo".

O mesmo Tiago, na sua carta, assegura: "Pedis e não recebeis, porque pedis mal". Aí está outra prova de que oração é lei: quando não são colocadas corretamente as premissas dessa lei, o resultado falha.

Para condicionar sua mente a usar com correção as leis da oração, comece por reconhecer que você, na sua verdadeira realidade e essência, continua sendo perfeito. A doença é uma falsidade, é um estado negativo, é resultado de um erro de compreensão, e este estado mental não faz parte da sua legítima realidade de filho de Deus perfeito.

Joseph Murphy escreveu: "A saúde é a verdade do seu ser. Quando você faz uma afirmação de saúde, harmonia e paz, para si mesmo ou outra pessoa, e quando você compreende que esses são os princípios universais do seu próprio ser, você corrige os padrões negativos do que está afirmando. O resultado do processo afirmativo da oração repousa na sua conformidade com os princípios da vida, desprezadas as aparências".

E conclui Murphy: "Reflita por um momento no fato de que existe um princípio da matemática, mas nenhum do erro; há um princípio da verdade, mas nenhum do erro; há um princípio da honestidade, mas nenhum da desonestidade; há um princípio da harmonia, mas nenhum da discordância; há um princípio da saúde, mas nenhum da doença e há um princípio da abundância, mas nenhum da pobreza". (O Poder do Subconsciente).

A CURA É O RETORNO À CASA DO PAI

A sua busca da cura dos seus males não é nada mais do que o atendimento de um chamado divino.

Quando existe a doença, existe a desarmonia.

Quando existe a doença, existe o mal em você.

É necessário que você volte à casa do Pai, onde existe somente o Bem e a Harmonia total.

Comece entrando realmente na casa do Pai, que é o seu íntimo. Como escreveu o Apóstolo Paulo: "Sois templos do Altíssimo que em vós habita e este templo é santo", quer dizer, é são.

Sua mente agora deve tirar o problema, ou seja, a doença da sua cabeça, porque a doença não é a sua verdade e nem a verdade de Deus.

Ligue o seu pensamento e a sua imaginação na presença de Deus em você. Veja o seu corpo como templo do Altíssimo, portanto cheio de luz, harmonioso, saudável.

Nesta interação com a sua legítima realidade, sua mente consciente e seus sentidos buscarão, por certo, interpor-se, jogando diante de si a outra realidade falsa, a imagem da doença, e você pode, durante algum tempo, tomar-se de ansiedade, de dúvida e de medos. Enquanto você tiver sua mente carregada dessas contradições, provavelmente sentirá vontade de tornar a sua prece uma súplica, um grito de dor. Não siga por esse caminho. Relaxe, acalme a sua mente e procure concentrar-se, com ânimo e serenidade, na verdade de que Deus é em você e tudo o que você quer Deus quer, de tal forma que é impossível uma oração feita com fé não produzir resultados.

Feche a porta dos sentidos, concentre a atenção apenas no conteúdo da prece e sinta o poder de Deus dentro de si.

Não force a sua oração. Ela deve ser suave e tranquila como um riacho na campina.

Se você consegue mudar as imagens negativas da doença na sua mente, conseguirá mudar a imagem negativa do seu corpo.

Ao criar a saúde na mente, já criou a saúde no corpo, porque sua prece modifica os padrões subconscientes, que, por sua vez, atuam sobre o corpo.

O corpo não é outra coisa que a expressão da sua mente.

Veja o que escreveu Emmet Fox: "A sua oração funciona modificando a parte subconsciente da sua mente. Ela apaga o medo e destrói as ideias falsas que andam causando o problema.

Todas as condições da sua vida são uma extraprojeção de uma crença no subconsciente. Cada moléstia, cada dificuldade, que você tem, não passa de corporificação de uma ideia negativa no seu subconsciente, que é acionada por uma carga de medo. A oração apaga tais pensamentos negativos e, depois, a sua corporificação também tem que desaparecer". (Faça a Sua Vida Valer a Pena).

A oração, pois, apaga a doença na mente e, consequentemente, apagará a doença no corpo.

Theodósia Schobert escreveu: "Lembre-se de que o objeto de toda oração é alçar a mente individual à consciência de Cristo, através da qual toda a verdadeira cura é realizada". (Remédios Divinos).

A CURA É SIMPLES E FÁCIL

Difícil é conseguir a doença. A cura é fácil, porque a saúde, as energias curadoras, a Força Divina, a Presença de Deus perfeito, já existem em você.

Agnes Sanford, em seu livro "A Luz Que Cura", escreveu: "O mais simples e o mais direto de todos os projetos de oração é a cura do corpo. O corpo é, de fato, laboratório especialmente adaptado para a demonstração do poder de Deus. E a cura, por alguma forma de oração ou de fé, é tão natural e instintiva como a respiração".

Um dia, atendi uma jovem que dizia que, desde os onze anos de idade, sofria desmaios; tinha ataques, caía no chão, debatia-se e, depois, ao voltar a si, não sabia o que tinha acontecido. Por causa disso, não podia ir à escola, não trabalhava, não saía sozinha. Além desse problema, tinha reumatismo, era nervosa e impaciente.

Dei-lhe a seguinte oração para fazer algumas vezes por dia: "Sei que sou filha de Deus, porque meu espírito procede de Deus. Deus é saúde e perfeição, por isso me ligo em Deus e permaneço na saúde perfeita física e mental. Agora tenho perfeito e completo domínio sobre os meus nervos. Sou calma, agradável, alegre e sadia. Sou inteligente e bem-sucedida. Meu sangue, meus ossos, cartilagens, músculos, nervos das pernas e de todo o corpo estão funcionando em total perfeição e harmonia. Agora não sinto mais dores nas pernas e nos joelhos e estou curada, graças a Deus.

Agradeço a cura do cérebro, que já recebi. Agradeço minha saúde. Estou sempre bem-disposta, tranquila, cheia de energias físicas e mentais. Isso é maravilhoso. Assim é e assim será. Muito obrigada".

Os resultados foram maravilhosos. Desapareceram os ataques e desmaios; desapareceu o medo; sai sozinha e sente-se bem. Isto aconteceu em 1980.

ORE ATÉ DESAPARECER A ANGÚSTIA E A IMAGEM DA DOENÇA

Enquanto a imagem da doença existir na mente, existirá no corpo, até porque o corpo é o resultado da mente. Por isso, a cura começa pela mente.

O primeiro passo é relaxar, entrar em contato com o Poder Divino e a Sabedoria Infinita, imanentes em seu ser, e envolver-se na Perfeição Divina.

Como disse, inicialmente pode ser que sua concentração na imagem da cura seja interrompida pelos medos, por ideias negativas de que não é fácil, de que seu caso é grave demais; pode ser que a imagem do seu órgão doente não possa ser apagada da mente; pode ser que você seja assaltado pelo desânimo, pela descrença, por insinuações de que não pode sarar, de que a doença é incurável, de que a oração não tem poder de cura, assim por diante.

Não se perturbe diante desses desvios mentais. Continue orando até limpar a sua mente. Mantenha a serenidade. Procure, sem aflição, criar e segurar a imagem da sua cura, visualizando-a por alguns minutos. Depois descanse. Volte a imaginar-se completamente curado, saudável, cheio de vida. Descanse.

Essa oração se tornará cada vez mais sólida, definida e definitiva. Não lute e nem faça esforço. A verdade deve penetrar-lhe claramente como a certeza de que, bebendo água, a sede desaparece. Não é o pedir que produz a cura, mas a fé, isto é, a certeza da cura é que produz a cura.

O pedir é imprescindível, porque, sem pedir, nada haverá para receber. Mas o resultado vem quando existe a fé.

Enquanto você permanecer ansioso, tenso, assustado, preocupado, desanimado – não existirá a fé. A fé elimina todos esses estados mentais negativos.

Continue orando ou mentalizando até sentir a certeza de que assim é e assim será. Neste instante, você fica tomado de um alívio gostoso, como a calma e o sol radiante que vem depois da tempestade. Ao sentir esta realidade interior, pode cessar a sua prece, porque ela foi ouvida e atendida.

Não importa qual seja a aparência exterior do seu órgão; não importa se está doendo; nem esquente a cabeça se o médico continua falando em termos de doença ou cirurgia. A sua verdade interior de cura, saúde e perfeição, é a verdade do seu subconsciente que, por sua vez, realiza esta verdade no corpo.

ACREDITE QUE JÁ RECEBEU

A oração da cura regenera o corpo, refaz os tecidos, harmoniza o funcionamento geral, fortalece o órgão, reforça as energias. Este processo pode ser imediato, como pode acontecer pouco a pouco.

Mas, colocadas corretamente as premissas das leis da oração, o resultado não pode falhar.

Masaharu Taniguchi ensinou: "Se, com a convicção de ser filho de Deus, você orou a Deus aquilo que deseja, agradeça acreditando que "já recebeu". Assim, pessoas e coisas adequadas começarão a se movimentar na hora apropriada e no lugar exato para realizar aquilo que você desejou. Durante a fase da realização, poderão surgir momentaneamente acontecimentos que parecem destruidores, mas eles correspondem aos estrondos das obras de escavação e concretagem para solidificar o alicerce. Portanto, não devemos ser influenciados por essas aparências externas que parecem destruidoras e desenterrar a semente da fé que diz "com certeza se realizará". (A Ciência do Bem Viver).

Quando você ora pela cura, saiba que a cura já aconteceu, se assim você crê.

Sinta, desde já, uma grande alegria no seu coração, porque, finalmente, você está no caminho certo, o caminho da saúde total.

SE TU PODES CRER, TUDO É POSSÍVEL AO QUE CRÊ

Certa vez, Jesus falou: "Se tu podes crer, tudo é possível ao que crê". (Mc. 5,14)

Talvez, tenha passado um tanto despercebida a primeira parte desta afirmação do Mestre: "Se tu podes crer".

"Se tu podes crer".

Sim, existem tantas pessoas que querem a cura, mas não conseguem crer nesta realidade.

Há inúmeros doentes que oram, sem cessar, para que Deus restabeleça a saúde, mas não conseguem acreditar que isto possa acontecer.

São muitos os que pedem a Deus a solução dos seus males, mas estão completamente desanimados.

"Se tu podes crer".

Eu tenho encontrado tantas pessoas doentes, ao longo de minhas caminhadas por esse mundo de Deus, e vi que não eram poucas as pessoas que ouviam, rezavam, desejavam, mas não podiam crer que assim era.

"Se tu podes crer" – significa que você precisa conhecer as leis da oração.

Você consegue crer antecipadamente na realização das leis da física, da química, da eletricidade, da mecânica, da engenharia, da matemática, da eletrônica e em tantas outras leis que regem o nosso mundo. Por exemplo, mesmo antes de colocar a manteiga no fogo, você já tem certeza de que ela derreterá; ainda antes de colocar a água no fogo, você acredita, sem nenhum resquício de dúvida, que a água aquecerá; mesmo que milhões de pessoas queiram lhe dizer que a água não mata a sede, você crê, ainda antes de tomar a água, que sua sede será saciada.

Assim é a lei da oração. Analise sob este aspecto e verá que não é tão difícil crer que a sua oração da cura produz a cura.

Agora você entende porque não se trata de suplicar ou de implorar a cura, mas, sim, de declarar a cura.

AO PEDIR, JÁ AGRADEÇA

Não fique esperando os resultados da sua oração da cura para, depois, agradecer.

Como escreveu Harry Douglas Smith: "A pessoa que se trata para curar-se e depois retém a sua gratidão até ver se fica realmente boa, bloqueia a cura, com suas dúvidas e incertezas, e com sua má vontade em aceitar a autoridade e o poder da própria mente. (O Segredo da Cura Instantânea)".

A oração da cura já é a cura. Ore, portanto e, desde logo, agradeça.

A oração da cura deve conter o agradecimento, porque o pedido já contém o recebimento.

"Pedi e recebereis, porque todo aquele que pede, recebe".

Ore e agradeça. Dê glória a Deus. Exalte em si o Poder Divino. Aleluia. Aleluia. Amém. Amém.

A LIÇÃO DE JESUS

Quando você ora, entra em contato com o Pai, com o Infinito, com o Princípio e o Fim, com o Absoluto, portanto, o tempo, o movimento e o espaço não existem. Assim sendo, o passado é presente, o presente é presente, o futuro é presente; o movimento inicial é o movimento final, o espaço é o mesmo.

A prece é o contato com o Infinito, tornando infinitos você e sua prece, não por causa de você ou da prece, mas por causa do Infinito agora imanente em você e sua prece. Desta forma, está correto tomar o conteúdo da prece como uma realidade do aqui e agora, mesmo a prece do pedido.

Esta é mais uma razão insuperável para você agradecer a Deus já no momento em que está pedindo, pois, pelo Poder Infinito, o que está para ser, já é.

Jesus deu uma lição claríssima sobre isso, quando se dirigiu à sepultura de Lázaro, a fim de ressuscitá-lo. Na oração ao Pai, que proferiu diante do cadáver de Lázaro, ele já agradeceu a ressurreição do seu amigo. Até aqui, porém, a ressurreição de Lázaro era apenas uma prece, um estado mental de Jesus. No Mestre, no entanto, existia a fé absoluta, devido ao seu reconhecimento absoluto de sua comunhão absoluta com o Pai. Nesse momento, a prece, o pedido, e a realidade, eram uma unidade indissolúvel. Por isso, nada mais natural e correto do que essa oração, que disse Jesus, diante de Lázaro morto: "Pai, graças te dou, porque me atendeste; bem sabia que sempre me atendes, mas por causa do povo em derredor é que o disse, para que tenham fé que tu me enviaste".

Dito isto, bradou: "Lázaro, vem para fora!"

Saiu o que estivera morto..." (Jo. 11, 38-44)

Todo esse espaço de tempo entre o desejo, a prece, a ordem e a ressurreição de Lázaro, para Jesus eram uma única unidade.

Entenda, pois, que o pedido já contém a realidade e, portanto, já deve conter o agradecimento, que é o reconhecimento da realidade.

Bem-aventurado quem reconheceu a dimensão desta verdade e a põe em prática, pois descobriu o segredo do milagre.

ORAÇÃO DA CURA

Se você não sabe como pedir a cura da sua doença, faça esta oração: "Pai Celestial, que habitas o meu interior, impregna com a tua Luz vital cada célula do meu corpo, expulsando todos os males, pois estes não fazem parte do meu ser. Na minha verdadeira realidade, como filho de Deus perfeito que sou, não existe doença; por isso, que se afaste imediatamente de mim todo mal, todos os bacilos, micróbios, vírus, bactérias e vermes nocivos, para que a perfeição se expresse no meu corpo, que é templo da Divindade.

Pai, teu divino filho Jesus disse: "Pedi e recebereis, porque todo aquele que pede, recebe". Portanto, tenho a absoluta certeza de que a minha oração da cura já é a própria cura. Para mim, agora, só existe esta verdade: a cura total. Mesmo que a imagem do mal permaneça por algum tempo no meu corpo, só existe em mim agora a imagem mental da cura e a verdade da minha saúde perfeita.

Todas as energias curadoras existentes em mim estão atuando intensamente, como um exército poderoso e irresistível, vencendo os inimigos, fortalecendo as posições enfraquecidas, reconstruindo as partes demolidas e regenerando todo o meu corpo.

Sei que é o Poder de Deus agindo em mim e realizando o milagre maravilhoso da cura perfeita.

Esta é a minha verdade mental; esta é, portanto, a verdade do meu corpo.

Agradeço-te, ó Pai, porque tu ouviste a minha oração.

Dou-te graças,com toda a alegria e com todas as forças interiores, porque a tua vontade de perfeição e saúde aconteceram em mim, em resposta ao meu pedido.

Assim é e assim será. Amém.

CAPÍTULO 9
A PRECE PRODUZ SAÚDE E BELEZA FÍSICA

Quando você se envolve na doce suavidade da prece, e entra em comunhão com o Infinito, seu corpo relaxa, seu coração se ilumina e sua mente entra em estado de esplendor transcendental.

Li, certo dia, esta afirmação de Masaharu Taniguchi: "Não há fisionomia mais bela do que aquela que está em comunhão com Deus, através da prece. Quando isso se repetir várias vezes, a pele e os músculos do rosto se tornarão habitualmente distintos e, mesmo quando não estiver orando, expressará no íntimo uma profunda beleza". (Acendedor, out/1969).

Na verdade, quando você consegue dissipar a neblina negativa que o impede de chegar ao seu Pai interior, você se torna comunhão com Deus, e a Luz Divina o inunda, irradiando-se para o rosto, de modo mais evidente, e, depois, para todo o corpo.

Falei que, em primeiro lugar, o efeito da prece se manifesta no rosto porque você sabe que o rosto é o espelho da mente. A luz interior é refletida em forma de aura, que produz um halo maravilhoso em torno da cabeça dos místicos, dos santos, das pessoas mais espiritualizadas.

O êxtase é a própria comprovação da interação que se estabelece entre a mente, o rosto e todo o corpo. Eis porque têm razão aqueles que interpretam a palavra santidade como originária de sanidade, isto é, saúde. Saúde é beleza. Beleza é harmonia entre coração, mente e corpo.

Quando você chega ao Pai interior, pela prece meditativa, conseguiu mergulhar na energia positiva divina, energia que se expande e forma os estados benéficos de alegria, de paz, de amor, de felicidade, de bem-estar, de bondade, de harmonia, de mansidão, de ternura, de compreensão. Neste caso, você se ilumina, a aura se torna esplendorosa e a sua pessoa emerge como um todo atraente, agradável, meigo, simpático e bonito.

TEU OLHO É A LÂMPADA DO TEU CORPO

A verdade da interação absoluta entre a mente e o corpo, o mundo interior e o mundo exterior, o lado de dentro com o lado de fora, foi ensinada por grandes mestres.

Já o famoso sábio, médico, filósofo, ocultista, da Antiguidade egípcia, Hermes Trimegistus, dizia: "Assim como é acima é abaixo; como o exterior, o interior; como o micro é o macro".

E o Mestre Jesus, há dois mil anos, também afirmava: "Assim na terra como no céu".

Para que você entenda melhor o pensamento de Jesus sobre este assunto, veja o que disse ele: "O teu olho é a lâmpada do teu corpo. Se o teu olho estiver em luz, puro, simples, todo o teu corpo estará resplandescente; mas, se o teu olho estiver em trevas, todo o teu corpo estará em trevas". (Lc.11,33-36).

O olho a que se referia Jesus é a mente. Caso fossem os órgãos físicos, teria falado em olhos. Trata-se, pois, do olho da mente, que, como explico no meu livro "Os Poderes de Jesus Cristo", situa-se na testa, quase na confluência das sobrancelhas; por isso, é chamado também de terceiro olho, ou terceira visão.

Pois bem, se a sua mente estiver pura, límpida, positiva, simples, em luz, todo o seu corpo estará resplandescente; mas, se a sua mente estiver em trevas, nas trevas do negativismo e do mal, todo o seu corpo estará em trevas.

O estado mental não afeta apenas a mente, mas esta e o corpo. É impossível existir um mal mental qualquer, mesmo que seja tristeza, desânimo, medo, amargura, que não afete o corpo; assim como é impossível existir um bem mental qualquer, como alegria, paz de espírito, bondade, amor, que não afete positivamente o corpo.

Mas, preste atenção: se você ora muito e, ainda assim, mantém um rosto duro e um corpo carregado de doenças, procure desalojar de si os estados negativos mentais, como a descrença no poder da oração; a crença na incurabilidade da doença; o ódio camuflado; a rigidez; a inveja; a intolerância; o complexo de culpa; os ciúmes; os sentimentos de inferioridade; a mente vingativa; a crítica; a calúnia; a mesquinhez; o complexo de vítima; os queixumes; a perseguição; a tristeza; a depressão; o desânimo; as tensões; as preocupações; a desesperança; o não-perdão; os dogmatismos; a insensibilidade; os insultos sofridos; a dureza interior; o sentimento de impotência; os fracassos; e tantas outras situações obscurecedoras da mente.

Prece é luz e a luz não convive com as trevas. Se existir a luz, não existirão as trevas. A prece é inconciliável com o mal e com os estados negativos da mente.

Se a prece é comunhão com Deus e, consequentemente, inconciliável com o mal e os estados negativos da mente, só haverá prece verdadeira se você afastar de si o mal interior. Isto significa perdoar. Perdoar – ensinou Jesus – é desligar o mal; é jogar para fora da mente todo o estado negativo mental.

Se você não desliga o mal mental, estará bloqueada a via de comunicação e de contato com o Deus interior.

O perdão é a mais fantástica terapia conhecida até hoje. E foi ensinado pelo Mestre Jesus.

Tempos atrás, estava proferindo palestras no Auditório Guararapes do Centro de Convenções de Olinda e Recife. No intervalo de uma conferência, em que falava sobre a saúde e a cura dos males, um médico acercou-se de mim e disse: "Se o corpo não cura a doença é porque a alma está enferma". O mais bonito é que esta afirmação saiu da boca de um médico.

O PERDÃO ESTABELECE O CONTATO COM O PAI E CURA AS DOENÇAS

Certa vez, disse o Mestre Jesus: "Se, por conseguinte, estiveres ante o altar para apresentar tua oferenda e te lembrares de que teu irmão tem queixa de ti, deixa a tua oferenda ao pé do altar e vai reconciliar-te primeiro com teu irmão; e depois vem oferecer o teu sacrifício. Não hesites em fazer as pazes com teu adversário, enquanto estiveres a caminho com ele". (Mt.5,21-26).

Estar diante do altar é estar diante de Deus. Se você estiver brigado com alguém, ou carregar ódio dentro de si contra quem quer que seja, não adianta a sua prece, porque está bloqueada a via de acesso ao Pai interior.

- Que fazer?

Muito simples: perdoar. Mande embora o mal da sua mente. Jogue fora este estado negativo. Peça perdão a si mesmo, aos outros, à humanidade e ao universo. Pronto, estabeleceu-se o contato e a comunhão com o seu Pai interior.

Não é preciso sair pelas ruas e cidades à procura da pessoa à qual prejudicou. Toda a humanidade é uma unidade só; portanto, o outro está dentro de você. Seu pensamento e sentimento de perdão dirigidos mentalmente ao outro já realizam o perdão no mesmo instante. Ir reconciliar-se é voltar-se para dentro de si e harmonizar-se com seu irmão, que é parte de si. A partir de agora, esta é a sua verdade. Então, sim, sua prece chega a Deus e a Luz ilumina todo o seu ser.

Antes de tudo, pois, perdoe a si mesmo, isto é, desligue o mal que está causando a si através da sua tristeza, da sua amargura, do seu nervosismo, do seu desânimo, da sua depressão, da sua tensão, da sua ansiedade, e assim por diante. Ao jogar fora esses males, faça a prece da alegria, da paz, da autoconfiança, do amor, da fé, da libertação, da bondade, da calma, do poder interior. Esta prece produzirá os resultados porque é ouvida e atendida pelo Pai Celestial.

Agora perdoe os outros, vendo neles o Deus que habita o interior de cada um. Assim, você terá mais facilidade de harmonizar-se com seu semelhante.

- Mas, é preciso fazer todo esse ritual de perdão antes de uma prece?

- Necessário não é. Em si, ao orar não precisa nem pedir perdão dos seus males e dos males praticados contra alguém, pois a prece, considerada na sua profundidade transcendental, já contém o perdão, a libertação, o estado de graça, a comunhão com o Altíssimo. Refiro-me à prece na sua legítima essência, não à prece que você pensa que está fazendo.

Basta você considerar a prece como estado de comunhão com Deus, com a humanidade e com o cosmo, para entender que não pode conter em si qualquer espécie de mal, de negativismo ou de sombra. Portanto, a prece já é o perdão.

Quando você ora "Pai Nosso que estais no céu...", nestas palavras, ao dizer que Deus é Pai, que está em você e em toda a humanidade, já está significando que você, o Pai, a humanidade e o cosmo são uma única unidade. Ora, se você está dizendo que todos somos uma única unidade de amor, nesta afirmação já está contido o perdão, pois o amor e a comunhão não comportam o mal. Logicamente, se não existe o mal mental, não existe a necessidade do ritual do perdão.

A legítima prece, portanto, sempre estabelece contato com o Pai, liberta os males e produz resultados benéficos para a alma e para a saúde.

Esta é a prece de luz, que acalma o corpo, libera as tensões, oxigena o sangue, descongestiona os órgãos, embeleza o rosto e produz, na pessoa, um estado de leveza infinita.

CAPÍTULO 10
A ORAÇÃO ESCUTADA

Anteriormente, disse-lhe que existe o tipo de oração pela qual você fala a Deus e existe o outro tipo pelo qual você apenas escuta Deus. Neste caso, você precisa mergulhar nas profundezas do seu ser, atingir o secreto, de que falava Jesus, e quedar-se na escuta da sua Voz interior.

Para atingir essas profundezas, você deve acalmar a mente, relaxar todo o corpo, libertar as tensões e deixar-se levar, através de um fio divino, até a Presença Infinita.

O Dr. Albert E. Cliffe definiu assim: "Deixe-se ir e deixe Deus vir".

Enquanto você estiver em estado de agitação, não conseguirá.

Enquanto existir maldade em seu coração, não conseguirá.

Para chegar ao secreto do seu ser, o caminho deve estar desobstruído.

Se a sua mente estiver agitada, conturbada, nervosa, agressiva, maldosa, deprimida, obsessionada, você descerá apenas um pouco. Seu ritmo cerebral não chegará nem ao nível alfa.

Mas, pela meditação límpida, profunda, concentrada no Infinito do seu ser, você descerá a um nível mental muito interiorizado, a ponto de não ouvir mais os ruídos exteriores, porque está ligado apenas na sua Divindade interior.

Em lá chegando, fique na escuta. Deus falará a você.

Você ouvirá a voz da Sabedoria Infinita.

Já não será mais a comunicação do acervo existente no seu

subconsciente, mas será a própria revelação de Deus.

A comunicação sairá pura, sem preconceitos, sem tabus, destituída de esquemas moldados por condicionamentos, crenças ou hábitos.

Disse Jesus: "E dia virá em que os verdadeiros adoradores adorarão ao Pai em espírito e verdade. E a Verdade vos libertará". (Jo. 4,7-26 e Jo. 8,32).

É neste momento que tudo isso acontece.

A VOZ INTERIOR

Jesus, o Mestre, ensinou: "A tua palavra é a Verdade". (Jo. 17, 6s). Referia-se à palavra do Pai.

Escute o Pai.

Ouça as revelações e medite sobre elas.

Pode seguir essa Voz, porque é a própria voz de Deus. Na linguagem científica, chama-se, também, de intuição.

Este é o momento mais divino da criatura humana.

A voz que você ouvir, neste nível, é verdadeira, porque é a voz da Sabedoria Infinita. Você não terá dúvida da verdade, porque se manifestará clara e limpidamente.

E esta Verdade tornará você livre, como um pássaro no céu.

A VOZ DA CONSCIÊNCIA NÃO É A VOZ DA SABEDORIA INFINITA

Bastas vezes você tem ouvido dizer que deve seguir a voz da consciência.

Mas, a voz da consciência não é, por si, a voz da Verdade. Pode ser e pode não ser.

É, até, mais provável que não seja, porque a sua consciência é formada pelo acervo de tudo o que você viu, ouviu e sentiu ao longo dos anos de sua vida.

Todo esse cabedal de conhecimentos, de crenças, de aprendizados e de ensinamentos, formou a sua biblioteca interior, que é a sua consciência.

A voz da sua consciência é a revelação da sua verdade, verdade esta montada por você ao longo da sua vida. Por aí você pode perceber que o padrão da sua consciência não é o mesmo que o da consciência do seu familiar, do seu vizinho e de qualquer outra pessoa.

A consciência de um índio, por exemplo, não é a mesma que a de um civilizado. O índio, que vive nu, está agindo corretamente de acordo com o padrão da sua consciência, mas o civilizado, que andasse nu pelas ruas, estaria indo contra os padrões da sua consciência. Ambos estariam fazendo a mesma coisa, mas um entenderia estar certo e outro errado.

A voz da consciência é local e particular.

A voz da Sabedoria Infinita é universal, única para todo o ser humano.

A sua consciência é a sua verdade, que pode estar de acordo ou não com a Verdade.

A Sabedoria Infinita é a Verdade.

Quando você ouvir a voz da Sabedoria Infinita, pode agir sem medo, porque você está ouvindo a voz de Deus, que é o Bem, que é o Todo, que é a Felicidade.

JESUS ERA A SABEDORIA INFINITA

Quando Jesus disse que era o Caminho, a Verdade e a Vida, estava falando com convicção e certeza interior, porque ele se considerava em união com o Espírito Santo, o Espírito Paráclito, o Espírito da Verdade, o Espírito da Sabedoria.

Estava em comunhão permanente com o Espírito Santo, porque se mantinha em permanente estado de oração. Por isso, se considerava uno com o Pai e com o Espírito da Sabedoria.

Ele conhecia a Verdade no seu todo.

Nem sempre você consegue apreender a Verdade total, lendo apenas uma ou outra afirmação do Mestre, pois, de acordo com a situação e a necessidade do momento, ele ia revelando o que interessava na hora. E, quando você toma uma parte em separado do todo, está sujeito a equívocos. É o que acontece quando você tem a impressão de que Jesus, em ocasiões diferentes, se contradizia.

Jesus era a Sabedoria Infinita, mas quem o prega pode estar pregando a sua própria verdade, que corresponde ao acervo do que aprendeu ao longo da sua vida e não a Verdade de Jesus.

Agora você entende porque existem tantas religiões diferentes que baseiam a sua verdade na Verdade de Jesus. Todas são honestas, sinceras, corretas consigo mesmas, embora pensem diferente e preguem diferente. Mas, nos pontos em que atingem a Verdade Universal e Divina, elas coincidem entre si.

Você, então, além de ouvir tudo o que lhe ensinam na sua religião, procure também entrar no secreto do seu ser, para ouvir o Pai, a Sabedoria Infinita. E faça uma comparação. Você perceberá que a água pura é mais límpida do que a água misturada.

"A verdade vos libertará" – disse Jesus.

Você sabe que a maravilha das maravilhas é chegar ao contato direto com o Pai, tornar-se um com ele e ouvir-lhe a Voz.

Para chegar a isso, é preciso realizar uma caminhada, que pode ser curta, como pode ser longa. É a caminhada do mundo exterior para o mundo interior; do reino dos sentidos para o reino dos céus; do vale dos pantanais para a montanha sagrada; das confusões mentais para a limpidez divina.

Talvez possamos dizer que você não vai ligar o seu humano no Divino, mas vai ligar o divino do seu humano no Divino; assim, o contato será perfeito; e a Voz se fará ouvir no seu humano.

Neste caso, você poderá dizer: "Eu e o Pai somos um; e a voz do Pai soa nos meus ouvidos interiores".

COMECE A DESCIDA

A Voz interior é muito sutil, vibra numa frequência muito profunda, de tal forma que, antes de tudo, é necessário dispor-se a descer.

Escolha, se possível, um ambiente adequado, que acalme a sua mente, os sentidos, e relaxe seu corpo.

Jesus, quando queria entregar-se a profundas orações e meditações, retirava-se a um monte, ou buscava as margens do Mar da

Galileia, ou o silêncio noturno do Jardim das Oliveiras, em Jerusalém.

É sabido que os ruídos da natureza são relaxantes, produzem gostoso bem-estar e predispõem a pessoa a uma maravilhosa interação com o universo. É por isso que todos gostam da natureza, das montanhas, das praias. Estes são os lugares preferidos para férias, piqueniques e turismo. A pessoa tem a sensação de refazer as energias, respirando um ar diferente.

Eu sempre me senti fascinado pelo mundo da natureza. No tempo de seminário, em Vale Vêneto, um lugarejo bucólico do Rio Grande do Sul, a cada passeio que se fazia, minha predileção era escalar montes. Voltava com a roupa rasgada, suja, mas feliz. No tempo de seminário maior, em São João do Polêsine, apreciava sobremaneira ir tomar banho no Rio Soturno, chegar até a Gruta do Corvo, no monte, caminhar cerca de cinquenta quilômetros para visitar as grutas de Ivorá.

Certa vez, com mais dois colegas, resolvemos escalar o Pico do Marumbi, na Serra do Mar, entre Curitiba e Paranaguá. Conseguimos escalar pelo frontal e atingimos o Pico do Marumbi às 13h30min. Foi um momento emocionante.

Agora, gosto muito de caminhar no Oásis, um parque que possuo, de setenta hectares, com lagos, riachos, cascatas, montes. Há um belíssimo "canyon" com o Rio Manuel lançando-se em corredeiras nas profundezas desse "canyon", que já tenho percorrido por diversas vezes, com amigos voluntariosos e valentes. É tudo muito gostoso e agradável.

Mas, não é preciso que você tenha um bosque na sua casa para meditar. Simplesmente, procure um canto silencioso, confortável, tranquilo, que consiga produzir-lhe um sutil estado de paz. Uma música suave ajuda muito. O cheiro do incenso também facilita a interiorização. Você se lembra que, antigamente, nas bênçãos solenes e missas especiais, havia a incensação do altar e do Santíssimo; o odor místico e euforizante do incenso inundava toda a igreja, produzindo estado mental positivo nos fiéis.

Não estou dizendo que tudo isto seja indispensável. Na verdade, qualquer lugar se torna propício para quem realmente deseja orar.

A noite, ainda mais se em contato com as estrelas, é o momento mais favorável. Jesus, pelo que se sabe, gostava muito de orar à noite, em contato cósmico com o universo. O silêncio, o mistério e a mística da noite elevam a mente ao Infinito.

Durante o dia, a penumbra torna o ambiente propício.

AGORA RELAXE

Preparado o cenário e o ambiente, prepare-se você.

Coloque-se numa posição confortável.

Por que confortável?

Para que o corpo não incomode você e não perturbe a meditação.

O corpo é a casa onde você fará a meditação, por isso é o primeiro a ser preparado.

Respire profundamente algumas vezes.

Por que respirar?

Vou citar-lhe Rajneesh: "...A respiração tem profundas raízes no ser. Podes não ter observado isso, mas, se puderes mudar tua respiração, verás que, quando te zangas, tens um ritmo particular na respiração. Quando estás amando, um ritmo totalmente diferente ocorre. Quando estás relaxando, respiras de maneira diferente; e o mesmo acontece quando estás tenso. Não podes respirar da forma como o fazes quando estás relaxando e ao mesmo tempo sentir cólera. Isso é impossível.

Quando estás sexualmente excitado, tua respiração se modifica. Se permitires que haja essa modificação, teu entusiasmo sexual te abandonará automaticamente. Isto significa que a respiração está profundamente relacionada com teu estado mental. Se mudares tua respiração, poderás mudar o estado de tua mente. Ou, se mudares o estado de tua mente, a respiração também mudará".

Em seguida, Rajneesh dá a sua sugestão: "Por isso, começo com a respiração e sugiro dez minutos de respiração caótica no primeiro estágio da técnica. Entendo como respiração caótica uma respiração rápida e vigorosa, sem qualquer ritmo. Só aspirar e relaxar, aspirando e restituindo o ar, tão vigorosamente, tão profundamente, tão intensamente quando possível. Aspira e, a seguir, exala". (Meditação).

A respiração oxigena o sangue e, por isso, clareia mais o cérebro, além de predispor melhor o corpo.

Agora comece a relaxar o corpo.

Concentre a sua atenção em cada parte do seu corpo e pense que está relaxando os nervos, os músculos e os ligamentos dessa parte do corpo. Percorra todo o seu corpo de cima abaixo ou debaixo para cima.

Faça este ritual de preferência de olhos fechados.

Seu corpo vai entrando em profundo repouso.

Passe a relaxar a mente, tornando-a tranquila, calma, liberta.

Perdoe os seus males, as suas tristezas, os seus fracassos, as suas depressões, as suas iras, as suas agitações, as suas angústias, as suas inquietações, os seus aborrecimentos, as suas tensões, as suas emoções negativas, os seus sofrimentos...

Perdoar significa mandar embora da mente, desligar da mente, libertar-se mentalmente dessas obsessões.

Deixe a sua mente límpida, serena, suave, liberta, preparada.

Perdoe também o seu coração de todos os seus males, erros e sofrimentos.

Comece o grande mergulho.

Enquanto você está na superfície, sua mente balançará em cima de ondas agitadas, que impedem a concentração e a oração milagrosa.

Mergulhe mais e mais.

Concentre-se num mantra, ou jaculatória, ou numa frase que lhe diga muito. Por exemplo: "Eu sou filho de Deus perfeito"; "Eu sou amor"; "Eu sou a morada de Deus"; "Reino dos Céus"; "A vida é amor"; "Eu e Deus somos um"; "Deus é o Poder Infinito que se manifesta em mim"; "Deus está em mim, por isso a perfeição habita o meu ser"; "Saúdo a Divindade do meu ser"...

O mantra ou jaculatória produz-lhe uma vibração superior e

torna alerta a sua mente.

Na medida em que você mergulha nas profundezas interiores, sua mente se torna mais lúcida, mais concentrada, mais alerta e mais tranquila...

Mergulhe.

Neste estado, acontecem alterações fisiológicas e o corpo processa a sua autocura.

Você está chegando ao centro do seu ser, que é o centro da energia, da inteligência, da criatividade, da felicidade. É o céu. O puro. A luz. O Pai. Deus.

Escute Deus.

"Aquietai-vos e sabei que Eu sou Deus" – diz a Bíblia.

Nesta região está a Verdade.

E a Verdade libertará você.

Andersen escreveu: "O ouvido interior, sintonizado em Deus, ouve coisas extraordinárias".

A ESCUTA

Soren Kierkegaard disse, certa vez: "No começo, quando comecei a rezar, costumava falar muito com Deus. Depois, aos poucos, compreendi a bobagem que estava fazendo. Eu estava falando – como falar pode ser prece? A prece só pode ser uma profunda escuta, não uma fala. Você precisa estar em silêncio para que Deus possa ser ouvido. Precisa estar muito silencioso para que a palavra quieta e silenciosa de Deus possa penetrá-lo. Neste silêncio, o Divino é revelado".

Diana Robinson escreveu em "The People's Almanac": "Quando você reza, está falando com Deus; quando você medita, está escutando Deus". (Seleções, nov/1987).

Quando você coloca o seu problema e pede solução a Deus, resta-lhe ficar na escuta.

Se você quer ouvir Deus, precisa parar de falar: "E teu Pai, que vê o que é oculto, te ouve e te recompensa" – disse Jesus (Mt.6,5s).

OS RESULTADOS DA MEDITAÇÃO PROFUNDA

A escritora Catherine Ponder conta, num de seus livros: "Se, depois de um dia fatigante, eu me recolho ao meu quarto por volta da hora de jantar, sinto que, depois de meia hora de meditação, fico reanimada e pronta para trabalhar ou fazer outra coisa durante a noite. Alguém, certa vez, disse que a "prece alimenta". Posso afirmar que a meditação me alimenta emocionalmente com uma sensação de harmonia, de inspiração e de paz; que a meditação me alimenta intelectualmente com novas ideias e, muitas vezes, faz surgir em minha mente alguma coisa que eu precise saber sobre determinada situação; e que a meditação me alimenta fisicamente com uma sensação de regeneração de meu corpo, com nova energia e bem-estar, terminando com toda a fadiga e tensão". (A Lei da Prece Para a Prosperidade).

Catherine, nas palavras acima, diz praticamente tudo.

A meditação, na verdade, elimina os medos, as cargas aflitivas; acalma o nervosismo, o temor, a tristeza; e vacina você contra a alta sensibilidade às irritações do dia a dia.

Você entra em estado de paz; experimenta uma profunda alegria de viver.

Sente, por assim dizer, um renascimento, um despertar para a vida.

Na meditação, você é orientado divinamente no que deve fazer.

Você se sente mais reanimado, autoconfiante, sereno, feliz.

Seu corpo recuperou energias, procedeu à autocura, repousou maravilhosamente, alcançou profundo alívio das pressões, trouxe-lhe agradável sensação de bem-estar.

Isto significa que, enquanto a mente se torna mais lúcida e alerta, o corpo entra em repouso mais profundo.

VOCÊ PODE TORNAR TUDO MUITO MAIS SIMPLES E FÁCIL

É claro que não precisa percorrer todo esse caminho para fazer a sua oração ou meditação.

Quis fazer esse longo percurso, porque é o caminho mais simples, fácil e seguro, através do qual você chega ao Pai, ou entra em contato com as forças curadoras imanentes nas profundezas do seu ser.

Nessa caminhada, são deixadas para trás as barreiras que, muitas vezes, numa prece rápida, você não consegue eliminar.

Este tipo de oração é muito importante principalmente para você que sofre de alguma doença grave ou considerada incurável pelo seu médico.

A sua oração ou meditação da cura, feita em nível tão profundo, sairá límpida, poderosa, forte, unívoca, cheia de fé.

Nesta faixa da sua mente, a imagem da saúde perfeita e total do seu fígado, ou rim, ou sangue, será uma imagem-matriz, definitiva, que, sem dúvida, sensibilizará seu subconsciente e seu órgão.

É o grande caminho natural e sobrenatural da cura.

E nada resistirá a esta ordem emanada do seu Altíssimo.

E ACONTECE O ÊXTASE

Conta o evangelho que "uns oito dias depois destas palavras, tomou Jesus consigo a Pedro, Tiago e João, e subiu ao monte para orar. Enquanto orava, mudou-se-lhe a expressão do semblante, e suas vestes tornaram-se de resplendente alvura. Vieram falar com ele dois varões: Moisés e Elias. Apresentavam aspecto majestoso".

Pedro e seus companheiros estavam tomados de inexprimível felicidade. Tanto que Pedro disse a Jesus: "Mestre, que bom é estarmos aqui. Vamos armar três tendas: uma para ti, outra para Moisés, e outra para Elias".

Estava em êxtase tal que nem se lembrara de si, e, como relata o evangelho, "não sabia o que dizia". (Lc.9,28-36).

Eis aí um momento verdadeiramente extasiante.

No êxtase mais elevado, processa-se uma transfiguração, isto é, a mente e o corpo se iluminam, a aura se torna irradiante, a ponto de resplandecer inclusive as vestes. O rosto apresenta uma irradiação toda especial.

O êxtase é, por assim dizer, a felicidade em alta tensão.

É o estado interior de reino dos céus.

É a visão beatífica do místico.

Rajneesh escreveu: "Aprofunde-se no amor e você chegará à oração. Mergulhe dentro da oração e você explodirá para dentro da unicidade. Esta unicidade é total, esta unicidade é o deleite, esta unicidade é o êxtase".

O êxtase não precisa ser buscado. É a oração do amor em alta tensão. A alta tensão explode a luz e você se sente envolto nessa luz que o conduz a alturas inimagináveis. Quando retorna, não encontra palavras para descrever.

Lembre-se sempre que "o reino dos céus está dentro de vós mesmos". Esta afirmação é do Mestre.

- Feliz de quem se banquetear no reino de Deus – exclamou aquele homem, no meio da multidão.

O reino dos céus é o grande banquete místico interior, na presença do Rei, durante a festa da vida.

É por isso que a vida é uma festa.

CAPÍTULO 11
A ORAÇÃO ENSINADA POR JESUS

Jesus fez muitas orações. Bastas vezes passava noites orando e meditando. Mas, um dia, ele ensinou uma oração.

Antes de tudo, ensinou como se deve orar. E, começou dizendo que de nada adianta orar para se exibir; para mostrar que é religioso; que é melhor do que os outros; para ser admirado e prestigiado; para ser valorizado.

Orar com esta intenção é ignorância total.

Disse ele: "Quando orardes, não procedais como os hipócritas que gostam de se exibir nas sinagogas e nas esquinas das ruas, orando para serem vistos pela gente. Em verdade, vos digo que já receberam a sua recompensa".

Neste caso, a oração não foi além de uma encenação. Só isso. Rezar com esta finalidade é pura perda de tempo.

Também, ensinou o Mestre: "Não faleis muito quando orais, como fazem os que cuidam ser atendidos por causa do muito palavreado. Não os imiteis". (Mt.6,5ss).

O Mestre está certo, porque o resultado da oração não depende de longos discursos, de argumentações cerradas, de longas horas de sacrifício.

"Vosso Pai sabe o que haveis mister" – completou Jesus.

O resultado da oração depende apenas da fé. Se você tiver a

fé de um grão de mostarda, basta uma palavra.

A seguir, Jesus ensina a atitude correta para a prece: "Tu, porém, quando orares, entra no teu aposento, fecha a porta e ora a teu Pai às ocultas; e teu Pai, que vê o que é oculto, te há de recompensar".

Quando você vai orar, entre num local silencioso e propício, ou entre dentro de si mesmo, no seu secreto, no seu templo interior.

"Fecha a porta", quer dizer, torne fácil a sua oração, a sua meditação, o seu contato com o mundo interior, evitando ruídos exteriores e interiores.

"E ora a teu Pai às ocultas".

Faça a sua oração ao Pai, isto é, ao Deus que habita o seu interior.

"Às ocultas".

No silêncio de si mesmo. Mergulhando nas profundezas do seu ser. Nas regiões ocultas da mente interior.

"PAI NOSSO, QUE ESTÁS NOS CÉUS"

Agora que você entrou em contato com o Pai, Jesus ensina a oração que deve fazer, ou seja, o que você deve dizer ao Pai.

"Assim é que haveis de orar:

Pai Nosso que estás nos céus".

Você começa chamando Deus, o Poder Infinito, a Presença Infinita, o Eu Superior, o Criador, de Pai. Deus é seu Pai, então apresente-se como filho.

Desde logo, você sabe com quem está tratando: Com o seu Pai. E seu Pai habita o céu da sua mente, quer dizer, a sua realidade mais elevada, mais divina, mais superior. Por isso, ele é o Pai Celestial. Para chegar ao seu Pai interior é preciso alcançar as regiões celestiais de si mesmo, as regiões mais profundas, ou mais elevadas, mais límpidas, mais puras, mais positivas, mais iluminadas.

"SANTIFICADO SEJA O TEU NOME"

Saiba que você está tratando com o Ser mais santo, mais perfeito, mais poderoso, mais sábio, mais iluminado, mais elevado. O Altíssimo. É seu Pai, mas é Deus.

Quando as coisas não vão bem na sua vida, é idiotice xingar a Deus, insultá-lo. Sim, porque é você que cria os seus problemas, e não Deus.

O Pai é a solução, a recompensa, o resultado daquilo que você pede a ele.

Seu pensamento e suas crenças são a sua oração primeira. Se a sua mente é negativa, pessimista, maléfica, o mal acontece por sua conta e não pela ordem divina.

Volte-se para o Pai, para o Bem, para a casa paterna e tudo lhe será dado multiplicadamente. Mas, você é livre até para ser um filho pródigo. No entanto, se agora mesmo você voltar para a sua casa, onde mora o seu Pai, será recebido com amor e haverá festa grandiosa no seio de Deus.

"VENHA O TEU REINO"

O reino de Deus existe. É o Bem. É o mundo positivo e saudável. É o reino dos céus e da felicidade. É o banquete celestial. É a festa interior.

Nesse reino é que você deve viver.

Se você está longe deste reino, peça – como ensinou Jesus – para que o Pai traga a você este maravilhoso reino celestial.

Principalmente você, que anda caído na beira da estrada; que anda rolando pelos descaminhos dos sofrimentos, das depressões, das drogas, das doenças, dos fracassos, dos ódios, peça, com fé, para que o Pai o conduza finalmente ao seu reino lindo, encantador e feliz; que é o estado mental celestial.

"SEJA FEITA A TUA VONTADE"

Este pedido não significa deixar o barco correr, soltar-se pelos caminhos desconhecidos da vida, andar aos trancos e barrancos. Pedir para que seja feita a vontade do Pai não é esvaziar os seus ideais, os seus objetivos, as suas aspirações e deixar-se levar ao deus-dará.

O que você pede, nesta afirmação, é que a vontade do Pai – que é a perfeição – seja feita em você. Em outras palavras, você pede que o Pai faça com que se realizem, em você, aqueles desejos grandiosos que ele teve ao criá-lo.

Ao fazer esta afirmação, você está pedindo para o Pai torná-lo saudável, feliz, perfeito, amável, calmo, misericordioso, bondoso, generoso, forte, positivo, poderoso, magnânimo, rico, autoconfiante, seguro de si, inteligente, sábio, útil, criativo, inventivo, produtivo, paciente, liberto, desapegado, pacífico, dono do universo.

"ASSIM NA TERRA"

Você está pedindo humildemente, e confiante como filho, que o mundo maravilhoso, benéfico, sadio e positivo do Pai, aconteça no seu corpo, que é terra, que é pó, como diz a Bíblia, bem como no planeta terra, onde todos os filhos de Deus vivem.

"COMO NO CÉU"

Sim, é necessário que a vontade benéfica e positiva do Pai se manifeste plenamente também no seu céu interior, na sua mente consciente e subconsciente, no seu espírito, na sua alma, enfim.

Existe a vontade do Pai, manifestada na sua mente, quando a sua mente está no reino dos céus, em estado de felicidade e de amor.

Enquanto você estiver triste, deprimido, negativo, em baixo-astral, pessimista, decaído, desesperado – não está se manifestando em você a vontade do Pai.

Faça esta oração do Pai Nosso, pedindo, com fé, para que a vontade do Pai, que é a alegria, a felicidade, o céu, a saúde, o sucesso, o progresso, a luz, se manifeste em você.

"O PÃO NOSSO DE CADA DIA NOS DÁ HOJE"

O pão é o símbolo do alimento em geral, necessário ao ser humano, porque o pão sempre foi, desde os primórdios da humanidade, o alimento básico e indispensável.

Pão quer dizer a alimentação total necessária. Portanto, passa fome quem não reza o Pai Nosso; ou quem reza mas não sabe o que está dizendo; ou quem reza mas não acredita no que está dizendo.

Hoje você ora: "O pão nosso de cada dia nos dá hoje".

Amanhã você reza: "O pão nosso de cada dia nos dá hoje".

Como o Pai sempre atende, você nunca passará fome. É impossível um verdadeiro cristão – aquele que faz esta oração ao Pai – passar necessidade.

Se você está passando privações é porque não faz a oração do Pai Nosso com fé.

Se, ao invés de ensinar o povo a se revoltar contra os que têm a mesa farta, todos os pregadores ensinassem o povo a rezar o Pai Nosso, com fé, se conseguiria alimentar a humanidade muito mais facilmente, e sem ódios.

Mas, além de pão significar alimento, encerra, em seu conteúdo maior, todos os bens materiais, como casa, cama, roupa, remédio, carro, dinheiro, geladeira, fogão, televisão, arado, trator, caminhão, pá, enxada, máquinas profissionais, assim por diante.

Nesta afirmação, Jesus ensina a pedir os bens materiais.

"PERDOA-NOS AS NOSSAS DÍVIDAS"

A dívida é o que você tem a pagar e o que você tem a pagar é o resultado dos seus pensamentos, crenças, palavras e atos negativos e nefastos.

A cirrose do viciado em álcool é a dívida contraída por ele; é o resultado negativo.

A depressão do deprimido é a dívida contraída por ter alimentado pensamentos e sentimentos de depressão.

Tristeza, ódios, depressão, estresse, doença, sofrimentos, desespero, desânimo, baixo-astral, amarguras, ansiedades, angústias, tormentos, hipocondria, neuroses, psicoses, aflições, nervosismos, e tantas outras consequências, são as dívidas que a pessoa está pagando por uma atitude ou processo mental negativo.

Na linguagem espírita, é o carma, ou seja, a consequência, o resultado, o fruto.

Como a dívida já está sendo paga aqui nesta vida – daí a razão desta afirmativa do Pai Nosso – creio que está correto dizer-se que todo ato se paga a si mesmo. O ódio produz o resultado do ódio; a alegria produz o resultado da alegria; o pedir produz o receber; o mal produz o resultado que é expressado em forma de doença ou de outra realidade negativa qualquer; a oração ou pensamento de pobreza produz a pobreza; assim por diante.

"ASSIM COMO NÓS PERDOAMOS AOS NOSSOS DEVEDORES"

É claro que não estamos pedindo a Deus que seja bom e magnânimo como nós o somos.

O que estamos pedindo é que Deus perdoe as nossas dívidas como nós estamos dispostos agora a perdoar os nossos devedores. Seria maldade e hipocrisia você pedir a Deus que perdoe as suas dívidas, mas você não está disposto a perdoar seus inimigos e devedores.

Como você quer que a justiça divina perdoe as suas injustiças se não concorda em perdoar as injustiças que os outros fizeram a você?

É como aquela história que Jesus conta: "O reino dos céus é semelhante a um rei que quis tomar contas a seus servos. E, ao começar com a tomada de contas, apresentaram-lhe um que devia dez mil talentos; mas, como não tivesse com que pagar, ordenou o senhor que o vendessem, a ele, sua mulher e seus filhos e todos os seus haveres, e com isso pagassem a dívida. O servo, porém, lançou-se-lhe aos pés, suplicando: Senhor, tem paciência comigo, que te pagarei tudo.

Compadecido do servo, o senhor o colocou em liberdade e lhe perdoou a dívida.

Saindo fora, encontrou o servo um dos seus companheiros, que lhe devia cem denários, deitou-lhe as mãos e estrangulava-o, dizendo: Paga o que me deves.

O companheiro prostrou-se-lhe aos pés, suplicando: Tem paciência comigo, que te pagarei. Ele, porém, não quis; mas, foi-se e o mandou lançar no cárcere até que houvesse pago a dívida. Contristaram-se profundamente os outros servos que tinham presenciado o caso e foram dar parte a seu senhor de tudo o que acabava de acontecer. Então, o senhor o mandou vir à sua presença e lhe disse: Servo mau! Perdoei-te toda a dívida, porque me pediste; não devias, pois, também tu ter compaixão de teu companheiro, assim como eu tive compaixão de ti?

E, indignado, o senhor o entregou aos carrascos até que houvesse pago toda a dívida.

Assim vos há de tratar meu Pai Celeste, se do íntimo do coração não perdoardes uns aos outros". (Mt. 18,21ss).

Você, também, peça perdão de todas as dívidas da sua vida e limpe a sua mente e o seu coração de toda maldade para com outros. Adianta você pedir que o Pai perdoe os resultados dos seus ódios se você continua guardando ódio para com outras pessoas?

Limpe a sua mente dos seus males e, ao mesmo tempo, liberte-se dos males dos outros.

Lembre-se que só você pode fazer a sua felicidade e riqueza e só você pode fazer a sua infelicidade e pobreza. Mantenha, portanto, a mente límpida e positiva em relação a todas as pessoas.

Também, vale a mesma aplicação para a nova versão que foi dada ao Pai Nosso: Perdoai as nossas ofensas assim como nós perdoamos aos que nos têm ofendido.

"E NÃO NOS DEIXES CAIR NA TENTAÇÃO"

Tentação é insinuação mental para praticar algum mal. Como ninguém deseja o mal para si, tentação é ignorância. Por exemplo, se você enxerga uma pessoa que o prejudicou, talvez sinta a tentação de falar mal dessa pessoa. Como todo o mal que se pensa, fala, deseja ou faz a alguém, acontece na própria pessoa e, pela lei do retorno, retorna multiplicado, só por ignorância falará mal.

Se você tem um carro para vender, pode sentir a tentação de citar qualidades que o carro não tem, para valorizá-lo mais; como o caminho da riqueza é mental, está entrando pelos becos errados.

Como todo pensamento busca a própria materialização, ceder à tentação de ficar falando das suas desgraças e doenças, nada mais faz do que reforçá-las e ninguém deseja que seu estado de saúde piore.

A tentação – pelo próprio sentido da palavra – é sempre para o mal, daí a necessidade de resistir aos pensamentos e desejos maléficos, porque, além de não trazerem vantagem, trazem, isto sim, prejuízos.

Há aqueles que dizem que é o demônio quem tenta. Não é preciso apelar para entidades malignas. Para que explicar sobrenaturalmente quando se pode explicar naturalmente?

Jesus disse, em outra ocasião: "Vigiai e orai para não cairdes em tentação".

Muita gente sente inclinação de pensar o mal, não por ser uma criatura naturalmente má, mas pelo hábito. Quanto mais você repete pensamentos e imagens, mais se gravam no seu subconsciente, passando a fazer parte da sua realidade. É apenas questão de hábito e não de inclinação para o mal.

Se, a partir de hoje, você persistir em pensar, falar, desejar e fazer só o que for benéfico e positivo – formará o hábito e seu subconsciente reagirá dessa forma, tornando-se a sua vida normalmente positiva.

Na verdade, é muito mais fácil pensar o bem do que o mal – porque, na sua verdadeira identidade e realidade, você é filho de Deus, e todo o filho de Deus é bom por natureza.

Não há porque pregar contra o mal, mas há que se pregar sempre o Bem, porque esta é a verdade do ser humano.

Daqui para frente - como Deus é a resposta da sua oração – você terá sempre pensamentos positivos e benéficos, porque o Pai está defendendo você das tentações maléficas.

"MAS, LIVRA-NOS DO MAL"

Trata-se do mal em todas as dimensões: Acidentes, fracassos, desgraças, pensamentos negativos, depressões, egoísmo, prepotência, desânimo, tristeza, desespero, neurose, nervosismo, doença, inquietação, medos, traumas, complexos, angústias, ansiedades, sofrimentos, insegurança, timidez, ganância, exploração, roubo, violência, ódio, raiva, mágoa, problemas, preocupações e tantos outros males.

Agora que você invocou o Pai, para livrá-lo de todo mal, assim é e assim será.

Lembre mais uma vez aquela afirmação da Bíblia: "Ao invocar-me, eu ouvirei e atenderei". – disse Deus. (Sl.90).

Ao fazer essa afirmação do Pai Nosso, esteja certo de que se colocou sob a proteção divina.

Caminhe alegre e despreocupado, porque a mão divina o conduzirá por caminhos abençoados.

"Amém". Assim é e assim será. Pelo poder do Pai Celestial.

CAPÍTULO 12
AS PERGUNTAS DE CADA DIA

Em todas as jornadas sobre o Poder da Mente, que realizo pelo mundo afora, sempre dedico alguns minutos de cada sessão a abordar as perguntas dos participantes.

Quando resolvi escrever um livro sobre a oração, a Maria Odete passou a catalogar as perguntas mais frequentes, a que passo a analisar.

- O que é oração?

É a maneira pela qual o ser humano entra em contato com seu Criador, isto é, com o Pai que habita o seu secreto – como ensinou Jesus.

O único caminho para se chegar a Deus é a mente. A ação da mente consciente é o pensamento, a palavra, a ideia, a imagem, o desejo, a emoção, o canto, o gesto, o ritual, a meditação, a contemplação, o êxtase e qualquer outra forma criativa da mente consciente que, porventura, possa existir.

Oração direta é a que é feita com a mente ligada conscientemente em Deus. Por exemplo, a oração do Pai Nosso.

Oração indireta é todo pensamento de qualquer natureza, pois o pensamento – quer uma pessoa saiba ou não – é a forma de contato com o Poder Infinito, imanente na criatura humana.

Escreveu James Allen que "a lei rege e governa tudo, desde o mais trivial pensamento, palavra ou ato humano, até aos agrupamentos dos corpos celestes". Isto quer significar que a maneira pela qual Deus rege a criatura humana é através de leis. Portanto, esta é a maneira pela qual se entra em contato com Deus, que se manifesta por suas leis.

A religião acredita que toda oração feita com fé é infalível.

A ciência do Poder da Mente ensina que todo pensamento acreditado é infalível.

Aí estão os caminhos pelos quais chegamos a Deus e pelos quais ele se manifesta.

Eu gosto de citar Richard Bach, que começou o seu livro "O Paraíso é Uma Questão Pessoal", exatamente com esta frase: "É melhor você ter cuidado com o que pede nas suas orações, disse certa vez alguém, porque você acabará conseguindo".

Mesmo que sua oração for contra você, acaba conseguindo. Se, por exemplo, você reza assim: "Senhor, manda-me muitas doenças, para que eu possa sofrer por teu amor", acabará tomado de doenças, não porque Deus lhe mandou por amor - o que é um absurdo insano – mas porque toda oração, de qualquer natureza, acreditada, realiza-se.

Para você perceber que Deus age assim, vou dar-lhe uma comparação: se você bebe água – seja santo ou pecador – mata a sede; se você toma veneno – seja santo ou pecador – far-lhe-á mal e pode até causar-lhe a morte.

Pois bem, se você faz a oração da saúde, terá saúde; se fizer a oração da doença, terá a doença.

Deus rege o universo material e humano através de leis. Pertence a você usar corretamente as Leis Divinas.

Talvez, aqui se possa dizer que a ignorância é a chave de todos os males.

MINHA PRECE NÃO FOI ATENDIDA, POR QUÊ?

Porque você não colocou corretamente as premissas que tornam a oração infalível. Lembre-se que toda oração feita com fé – acontece. Infalivelmente. Hoje ou amanhã, obrigatoriamente acontece. Quando a oração não é atendida, isto não ocorre por falha de Deus, mas por falha do ser humano. Imagine o sol brilhando intensamente na sua cidade e aquecendo o ambiente. Se você deseja que o sol ilumine a sua casa e a aqueça, mas deixa toda a casa fechada, a escuridão continuará existindo na sua casa. Por sua conta e não por causa do sol.

Existe um ditado que diz assim: Se o morcego não vê a luz não é por culpa do sol.

Suponha que você deseja colocar mais uma lâmpada no seu edifício, todo iluminado. Colocados os fios, a tomada, a chave, e ligada a luz, esta não acende. Dirá você que está faltando energia elétrica ou vai ver onde você falhou na sua instalação?

Assim é com Deus. Ele é sempre a resposta infalível a todo pedido feito com fé.

A oração que não obtém resposta tem um fio desligado. O desligamento é provocado pela dúvida, ou pela descrença, ou pelo medo, ou pela ignorância, ou pelo ódio.

Quando acontece a dúvida?

Ocorre quando, por exemplo, sendo pessoa muito nervosa, você faz a oração da calma para ver se Deus vai atendê-la. Assim, você pensa que Deus pode ou não atendê-la. E conclui que pode ser que você fique calma e pode ser que continue nervosa.

Está duvidando se essa oração vai ou não torná-la calma. Neste caso, você não obterá o resultado desejado, pois há conflito entre seu desejo e a capacidade de alcançá-lo.

Jesus afirmou, na sua Sabedoria Infinita, que é preciso "não duvidar em seu coração" para que a prece seja infalível.

Quando você faz a oração para a cura do seu câncer e pensa assim: "Eu desejo a cura do câncer, mas acho que não tem jeito, porque os médicos já me desenganaram", está fazendo duas orações opostas.

Ponha o seu desejo e a dúvida numa balança e veja qual dos dois pesa mais.

A oração legítima crê firmemente na realização da palavra. Portanto, não admite dúvidas. A dúvida tira toda a força.

Quando você duvida, está sempre se perguntando: Será que Deus vai me atender? Será que conseguirei? Será que vai dar certo? E se não acontecer? Mas, como poderá acontecer isso se não tem jeito? Será que tem cura mesmo? Será que é possível?

Lembre-se do ensinamento categórico do Mestre: "Tudo é possível àquele que crê".

E Jesus põe o dedo na chaga de tantas pessoas, declarando: "Se não duvidar em seu coração – este monte se lançará ao mar".

Todos os males desaparecerão – não importa o tamanho e a gravidade – se "não duvidar em seu coração" ao fazer a sua prece da solução.

E quando você não acredita?

Jesus ensinou que, se você não crer firmemente na realização da sua palavra, não removerá as montanhas e não acontecerá o milagre.

O crer não admite qualquer pensamento contrário.

Se você faz a oração da casa própria e não acredita na possibilidade de ter casa própria, pode tirar o cavalinho da chuva, como diz o ditado, porque nada acontece.

"Seja feito conforme credes" – disse Jesus.

Se você acredita que sua doença não tem cura – assim é.

"Seja feito conforme você crê".

Veja bem que Jesus não disse que seja feito conforme a sua religião, ou conforme o tamanho da sua oração, ou conforme os sacrifícios que fizer.

"Seja feito conforme você crê".

Sim, porque a fé é uma lei infalível.

Por que o medo anula o efeito da oração?

Simplesmente, porque o medo é um pensamento negativo muito emocionalizado que você tem de algo que não aconteceu, mas que pensa que vai acontecer. Ora, todo pensamento forte, emocionalizado, acreditado, acontece.

É por isso que os mestres dizem que os pensamentos são coisas, se expressam no universo.

Pelo medo, é como se você desejasse que seu carro fosse para frente, mas engatasse a marcha à ré.

Disse Jesus: "Por que temeis, homens de pouca fé?" Temer significa ter medo.

Conhece você aquele episódio da vida de Jesus em que, noite alta, alguns discípulos atravessavam o Mar da Galileia, de barco, quando o Mestre apareceu caminhando sobre as águas?

Para os discípulos, aquilo era simplesmente incrível, tanto que, de imediato, imaginaram um fantasma.

Quando descobriram que era Jesus, Pedro ficou tão empolgado que pediu que o fizesse andar sobre as águas até onde o Mestre estava.

- Vem - disse Jesus.

Sem pestanejar, Pedro saltou do barco e – estupendo! – começou a caminhar sobre as águas.

Os companheiros estavam boquiabertos.

Fantástico!

E Pedro continuava andando sobre as águas.

De repente, uma onda mais forte molhou seus pés; olhou para as águas revoltas, assustou-se, e começou a afundar, pedindo socorro a Jesus.

- Por que duvidaste, homem de pouca fé? – repreendeu-o Jesus.

Enquanto Pedro esteve com a ideia fixada no Mestre, acreditando na palavra de Jesus – andou sobre as ondas.

No momento em que teve medo, desligou instantaneamente o fio da fé, e a sua massa corpórea tornou-se mais pesada que a água. Afundou.

O fenômeno de caminhar sobre as águas quando Pedro estava assumido por um tipo de pensamento e o fenômeno de afundar ao tomar outro tipo de pensamento, por certo merecerá muitos estudos científicos daqui para frente.

E a ignorância?

Pela ignorância, a pessoa não sabe de onde vem o poder e nem como é usado.

É como aquele homem que queria atravessar uma pinguela em dia de enchente e estava com medo de cair.

Pensou: E, agora, como é que faço? Se rezo para Deus, vem o diabo e me derruba na água; se rezo para o diabo, Deus pode me derrubar.

Resolveu contentar os dois. Atravessou a pinguela rezando assim: Deus é bom, mas o diabo não é ruim...Deus é bom, mas o diabo não é ruim...

Quando terminou de passar a pinguela, tratou logo de contentar também a si mesmo, dizendo: Isso é bobagem; passei na pinguela porque eu é que sou valente, e não por causa de Deus ou do diabo!

O ignorante acende uma vela a Deus e outra ao diabo. Quer dizer, não conhece as leis que tornam uma oração infalível.

Quando reza e não alcança, se conforma dizendo: "Que se vai fazer...A vida é assim mesmo!"

ADIANTA REZAR PARA OUTRA PESSOA?

Ensina a ciência do Poder da Mente que todos os seres humanos são uma única unidade a nível de subconsciente; portanto, a nível de subconsciente você sabe tudo o que todas as pessoas sabem e não pode deixar de saber. Daí se explica a capacidade que todos têm de clarividência, telepatia, transmissão de pensamento.

Sabe-se, também, que o pensamento é o veículo pelo qual se leva uma mensagem ao subconsciente.

Agora, se todas as pessoas estão interligadas a nível de subconsciente, chegamos à conclusão de que os seus pensamentos, dirigidos a uma pessoa, serão sempre recebidos por esta pessoa, no mesmo instante, não importa onde esteja.

A religião também comunga esta mesma verdade, ensinando

que toda oração dirigida a uma pessoa é recebida por ela, ajudando-a.

Catherine Ponder escreveu: "A prece é o método de pensamento que liga Deus e o homem". Assim sendo, na oração dirigida a uma pessoa, acontece a trindade na unidade: O orante, Deus e a pessoa por quem se ora são envolvidos na unidade da prece.

A PRECE SEMPRE PRODUZ EFEITO NA OUTRA PESSOA?

Orar por outra pessoa é ajudá-la, não dominá-la.

A prece vai sensibilizar a mente da pessoa; vai levar energias benéficas.

Mas, o resultado depende da pessoa por quem se ora. Se não há receptividade, nada feito.

Mesmo que não haja receptividade, é óbvio que se deve continuar orando, pois esse pode ser o caminho da receptividade.

ADIANTA REZAR POR UMA PESSOA MUITO NEGATIVA E DESCRENTE?

Claro que adianta.

Se você fica todo o santo dia dizendo para uma pessoa que ela é negativa e descrente, está reforçando este estado mental negativo. Está incutindo cada vez mais na mente subconsciente da pessoa esta realidade. Sempre ressalvando que os resultados dependem da receptividade da pessoa a quem se fala.

Mas, se, pelo contrário, você fica dizendo que essa pessoa é positiva, alegre, saudável, autoconfiante, cheia de fé, feliz, está induzindo-a a aceitar estas verdades, tornando-as realidade na sua vida.

Se, por outro lado, fica pensando ou orando que a pessoa é positiva, alegre, saudável, autoconfiante, cheia de fé e feliz, está incutindo estas verdades na mente subconsciente da pessoa, facilitando a sua determinação interior para que assim seja.

Por isso, Jesus ensinou que orássemos sem cessar.

Certa vez, me contaram que Santa Mônica orou durante dezoito anos pela conversão de seu filho. Agostinho, seu filho, finalmente converteu-se e tornou-se bispo, escritor, filósofo, teólogo, doutor e santo da Igreja Católica Apostólica Romana.

DEVE-SE REZAR PARA QUEM NÃO PEDIU?

Toda oração por uma pessoa é um contato com Deus para pedir algo em benefício dessa pessoa.

É claro que é ótimo você orar em benefício de alguém, mesmo que a pessoa não tenha solicitado.

Mas, lembre-se sempre que sua oração deve visar os bens universais, que, por isso mesmo, são desejados por toda e qualquer pessoa, inclusive essa pela qual está orando.

Que são bens universais? Por exemplo: A saúde, a paz, o amor, a felicidade, a bondade, a calma, a alegria, a tolerância, a paciência, o pensamento positivo, a fé, a força interior, a abundância, o sucesso, a harmonia, a inteligência, a memória, a sabedoria, a lucidez, o discernimento, a energia física, a força mental, o poder espiritual, a força de vontade, a decisão correta no casamento, o amor conjugal, a união da família, a reconciliação, a profissão acertada, a carreira ideal, assim por diante.

Quando há conflito entre o que você está orando e o que a pessoa está querendo, faça a sua prece entregando a solução nas mãos de Deus.

Suponhamos que o seu marido deseja mudar-se para o Rio de Janeiro e você quer permanecer em São Paulo. Neste caso, reze para que a Sabedoria Infinita (ou Deus, ou o Pai, ou o Espírito Santo) conduza os dois à decisão certa.

A Bíblia diz que quando Deus é invocado, ouve e atende.

Se você não quer que sua filha case com esse rapaz que ela namora, o justo é você orar para que o Deus, que habita o interior da sua filha, a guie no sentido de que case com o verdadeiro Amor dela. Assim, você não está impondo o seu gosto, mas pedindo para que a Sabedoria Infinita, que sabe qual é o verdadeiro Amor da sua filha, a conduza ao casamento certo.

Se o seu marido tem um negócio que não vai bem e você deseja que ele feche o negócio, ao passo que ele deseja continuar – como rezará?

Seu marido pode ter razão em continuar, na esperança de que o negócio melhore; você deseja que ele feche logo, no argumento de que, quanto mais tempo ficar funcionando, maiores serão os prejuízos.

E, aí, como orar? Quem tem razão?

Nada mais acertado do que invocar a Sabedoria Infinita para que oriente na decisão correta: Se deve fechar ou persistir; e como continuar, se for o caso.

A resposta virá. Muito clara e persuasiva. Basta ter ouvidos para ouvir e olhos para ver.

"Ao invocar-me, eu ouvirei e atenderei". (Salmo 90).

POR QUE UNS CONSEGUEM LOGO E OUTROS DEMORAM TANTO?

Tudo depende do tamanho e da força da fé.

Jesus afirmou que a fé remove montanhas.

Diante desta verdade, uns sustentam que a montanha é removida no mesmo instante, como no mesmo instante abriram-se as águas do Mar Vermelho para que o povo de Israel pudesse atravessá-lo a pés enxutos; como no mesmo instante Moisés fez brotar água da rocha, para saciar a sede do povo eleito; como no mesmo instante Jesus acalmou a tempestade do Lago de Genesaré; outros entendem que a montanha será removida, mas aos poucos, através de tratores, pás, carregadeiras, carrinhos, guindastes.

Aquela é a fé sobrenatural; esta é a fé natural.

Mas, é preciso dizer que a fé, sendo fé, sempre produz as obras. Ou seja, a fé nunca falha.

Pode ser hoje ou amanhã, por meios naturais ou milagrosos, mas sempre produz os resultados.

QUANTO TEMPO LEVA PARA UMA ORAÇÃO SER ATENDIDA?

Esta pergunta também se enquadra na colocação anterior.

Lembre-se que Deus não falha e nem chega tarde.

Para aquele que criou o universo e todos os seres, o que você está pedindo não passa de um grão de areia. Portanto, a resposta divina é sempre imediata, porém ela jorra na proporção da abertura da sua torneira. Se a sua fé abre apenas meia volta da torneira, a energia divina fluirá apenas de acordo com a capacidade receptiva de meia volta.

É uma comparação simples, para facilitar o seu entendimento.

Você terá a resposta na hora exata. Deus nunca atrasa.

Isto basta.

EU NÃO PEÇO NADA A DEUS, ELE SABE TUDO. ESTÁ CERTO AGIR ASSIM?

As coisas acontecem de acordo com as leis que regem o universo e o ser humano.

E a lei, ensinada por Jesus, é que o receber depende do pedir. "Pedi e recebereis".

Se pede, recebe.

Se não pede, não recebe.

Deus, que está em você, só pode agir em você através de você; portanto, respondendo, atendendo, ouvindo.

Isto não significa que você é mais do que Deus. Pensar assim é ignorância.

A maneira pela qual Deus age nas criaturas – volto a repetir – é através de leis. Quando você coloca corretamente as premissas de uma lei, a resposta divina acontece.

É por isso que as leis mentais e espirituais são tão exatas quanto as leis físicas, já que as leis mentais, espirituais e físicas têm a mesma origem.

É claro que Deus sabe tudo. Você sabe uma parte, mas Deus sabe tudo.

Porém, a maneira como ele age nas suas criaturas humanas – às quais deu o maravilhoso dom da liberdade de escolha – é como resposta. Dessa forma, ninguém tem o direito de se queixar a Deus se as coisas não vão bem na sua vida. Porque, não é Deus que vai na frente. Se ele fosse na frente, estaria puxando você e você seria apenas robô de Deus, boneco acionado pelos cordões divinos.

É você quem pede; Deus responde. É a lei.

Você pode, no entanto, pedir que Deus – Sabedoria Infinita e Poder Infinito – conduza você sempre pelo melhor caminho e o proteja divinamente. Isto já é um pedido. Fazer uma oração pela qual você deixa a Deus a iniciativa de guiá-lo pelos caminhos da vida – já é um pedido, que será atendido.

Por outro lado, é bom lembrar que todo pensamento criado pela mente já é um pedir, já é um comando de ação.

Deus age em você através de seus pensamentos, quer sejam em forma de oração ou em forma de mentalização, de desejos, de imagens.

Pode ser que esteja acontecendo com você como aquele caso que, certa vez, sucedeu comigo. A uma senhora, que tinha um filhinho de poucos meses, sugeri que, desde já, incutisse na mente do bebê mensagens positivas, afirmações psicologicamente benéficas...

Ela me interrompeu, dizendo que não iria agir assim. Deixaria que seu filho crescesse livremente e, mais tarde, tomasse as suas próprias opções na vida.

- Se isso for possível, experimente – disse-lhe eu.

Educar o filho é uma questão de opção: Ou a mãe ou os outros. Nada mais do que isso.

Mesmo que a mãe nada ensinasse, a criança estaria recebendo todos os dias milhares de mensagens vindas da própria mãe, do pai, dos irmãos, da empregada, dos vizinhos, das visitas, da televisão, do rádio, da rua e de tantas outras fontes.

Ao transmitir mensagens positivas e benéficas à criança, a mãe nada mais estaria fazendo do que ser inteligente e cumprir a sua legítima missão, ao invés de deixar para os outros.

O que eu quero dizer-lhe com este fato é que pode ser que

você não peça nada a Deus, sem se dar conta de que o cabedal imenso dos seus pensamentos de toda hora já são pedidos, muitas vezes indesejados, descontrolados, negativos, prejudiciais. Pois, então, torne tudo mais simples e declare mentalmente as qualidades, os dons, os ideais, as necessidades que você quer que se realizem na sua vida.

Assuma o comando dos seus pensamentos ao invés de ficar ao sabor das outras cabeças.

QUANTAS COISAS SE DEVEM PEDIR, DE CADA VEZ, NA ORAÇÃO?

Quem mais pede, mais recebe.

A quem pouco pede, pouco se lhe dará.

Sempre que você fizer orações públicas, em comum, com o povo ou com a comunidade, examine o conteúdo dessas preces e veja se correspondem aos seus desejos.

Cuidado com o que pede nas suas orações, porque acabará conseguindo.

Só faça orações que lhe sejam benéficas e positivas.

Longe de você orações que contenham lágrimas, tristezas, sofrimentos, agruras, dificuldades, doenças, a não ser para libertar-se desses estados negativos. Mesmo assim, neste caso prefira substituir essas palavras, fazendo a prece do sorriso, da alegria, da paz, da harmonia, da solução, da saúde.

Respondendo à pergunta, coloque na sua oração todo o seu mundo interior e exterior desejados. Não é preciso fazer um pedido de cada vez. Não é necessário esperar que se realize este pedido para concentrar-se em outros.

Deus é a fonte infinita. Quanto maior for o mundo interior colocado nas preces, mais grandiosa e perfeita será a sua vida. Sempre que possível, inclua na sua oração todas as dimensões do mundo dos seus desejos e ideais. Assim você crescerá mais rapidamente.

Disse Jesus: "Pedi e recebereis – e será completa a vossa alegria". (Jo. 16,24).

Numa outra ocasião, falou o Mestre: "Crede firmemente

que recebereis tudo quanto pedirdes na oração – e ser-vos-á dado". (Mc.11,26).

Leu bem? "Tudo quanto pedirdes na oração".

Tudo é tudo mesmo.

Não deixe para amanhã o que pode pedir hoje.

Se você adiar a sua felicidade para amanhã, hoje você será infeliz.

O QUE PEÇO PARA MIM NÃO PODE FAZER FALTA AOS OUTROS?

Não pense você que o reino de Deus é o depósito da Cobal.

Deus é a Fonte Infinita.

O tesouro divino é inesgotável.

Todos podem pedir tudo ao mesmo tempo e tudo será dado. Esta afirmação pode tornar-se incompreensível à sua mente consciente, racional, analítica; no entanto, esta minúscula parcela da mente é pequena demais para abranger as dimensões inescrutáveis do infinito. A mente consciente não vai sequer além de vinte por cento da mente toda, segundo os entendidos. Portanto, o seu raciocínio não alcança nem mesmo a dimensão total da sua mente.

Tudo o que o ser humano pede, o terá, independentemente se outros também pedirem ou não.

Quem muito pede, muito recebe.

Quem pouco pede, pouco recebe. Pouco recebe, não porque os outros pediram muito, mas porque pouco pediu.

Deus, que nos deu o poder de desejar e pedir, antes disso já criou a realização dos desejos e pedidos; caso contrário, estaria furada a lei do "Pedi e Recebereis". Como você iria receber, se aquilo, que você está pedindo, não existe ou já foi entregue a outro?

Não é assim.

Simplesmente ponha na sua cabeça que a Fonte é infinita.

COMO EU TENHO CORAGEM DE PEDIR TANTO PARA MIM, QUANDO HÁ TANTA GENTE PASSANDO NECESSIDADE?

Não é porque você deixa de pedir que os outros deixarão de passar necessidade.

Se, para se solidarizar com os que padecem necessidades, passa também a sofrer necessidade – em que melhorou você o mundo?

Em nada.

Pelo contrário, agora o mundo se tornou pior ainda, porque mais um – você – está passando necessidade.

Um dia, eu fazia uma palestra sobre a felicidade. Ao terminar, logo saltaram umas pessoas, indagando abruptamente:

- Como eu posso ser feliz, vendo tanta gente infeliz, nas favelas?

- E, você sendo infeliz – retruquei – acha que vai melhorar a situação dos infelizes? Pelo contrário, serão dois cegos caindo no abismo. Somente sendo feliz é que você pode tornar as pessoas felizes.

Feita esta colocação, passei a explicar que pobreza nada tem a ver com infelicidade. Conheço muitos favelados que são felizes. E conheço muitos ricos que são infelizes; e vice-versa.

DEVE-SE DIZER NA ORAÇÃO: SE FOR DA VONTADE DE DEUS?

Depende que tipo de oração você está fazendo.

Todo o Bem universal, no todo ou na parte, é da vontade de Deus. Por exemplo, a alegria, a paz, o amor, a felicidade, a saúde, a abundância, a fé, a harmonia, a inteligência, a paciência, a tolerância, a compreensão, a fraternidade, a solidariedade, a lucidez, o discernimento; a energia física, mental, espiritual; o positivismo, a criatividade, o progresso, as invenções benéficas, assim por diante.

Se você está deprimido, não tem cabimento pedir a libertação da depressão, se for da vontade de Deus. Claro que é da vontade de Deus, pois depressão é desarmonia. A cura da doença também é, logicamente, da vontade de Deus, pois toda doença é um mal.

Há questões e situações indefinidas que você pode invocar a Sabedoria e o Poder Divinos para que lhe tragam a solução. Neste caso, você pode pedir que se manifeste a vontade de Deus.

Se for da vontade de Deus significa: Se vai dar certo para mim.

Na verdade, todos os dons e coisas do universo estão dentro de você, esperando a possibilidade de se expressarem. Por exemplo, quando você ora a Deus pedindo amor, onde está o amor que você deseja? Em algum lugar do mundo? Ou no alto do céu? Ou na distância inimaginável do infinito?

O amor, na sua origem infinita, está dentro de você. Deus é amor e Deus é em você. O amor que você está orando não vai entrar em você por alguma parte do seu corpo ou da sua mente. Já existe em você. Quem sabe, poderíamos exemplificar o que estou dizendo com a caixa d'água da sua casa. A caixa d' água está cheia, mas a sua pia está vazia, porque sua torneira está fechada. Ao abrir a torneira – esta é a oração – a água corre na abundância do tamanho da torneira e da abertura que der à torneira. Também, o amor infinito, que já existe em você, jorrará para você na força e na densidade da sua prece.

Você e Deus são uma unidade infinita e perfeita, de tal forma que a vontade do Pai é também, na essência, a sua vontade; e a sua vontade – a sua legítima vontade – é, sem dúvida, a vontade do Pai. A sua vontade, nesse caso, significa o Bem, porque a sua legítima vontade, como filho de Deus, inseparável de Deus, imagem de Deus, só pode ser o Bem.

É assim que, você e Deus sendo um, o seu desejo é desejo de Deus; o Bem que você ora já é o Bem que jorra de Deus para você, automaticamente.

Lembre-se, então, que Deus é o Bem infinito e total, mas só jorrará para você no momento em que você abre a torneira da sua mente pela prece, pela mentalização, pelo pedido.

Deus é a água e não a torneira. Você é a torneira. Se você não abre a torneira, a água divina, imanente em você, não poderá jorrar para você.

Jesus já ensinava de modo muito simples esta verdade, quando disse: "Pedi e recebereis, porque todo aquele que pede, recebe". Por aqui você vê que o pedido e o recebimento são o verso e o reverso da mesma realidade, ou então, da mesma unidade. Isso é tão verdade, que Jesus não teve dúvidas em concluir que todo aquele que pede recebe, assim como todo aquele que abre a torneira tem a água jorrando para si.

Quando é que não jorra a água?

Quando você fecha a torneira.

Quem fecha a torneira?

É a dúvida, a descrença, o medo o desânimo, o negativismo, o pessimismo, o desespero, a falta de fé, o ódio, a ignorância, o erro.

POR QUE SE DEVE ORAR?

Antes de mais nada, reconheça que Deus não precisa da sua oração. A sua oração não aumenta a glória divina. Deus é o todo no tudo. Não existe um milímetro de vazio em Deus que necessite ser preenchido por você.

Você ora porque precisa orar e não porque Deus precisa da sua oração.

Sua oração é um ato de amor a Deus, tal como você sente esse amor inato e profundo por seu pai e por sua mãe. Sabendo que Deus é seu pai e criador, e criador desse mundo maravilhoso, que lhe deu por herança, é impossível você não abrir o seu coração para manifestar o seu amor. Isso é orar.

Você sabe que Deus tudo tem e tudo dá; então, se dirige a ele para fazer-lhe o seu pedido. Isso é orar.

Sabendo que Deus é a fonte da energia e da força, quando você está fraco, vai buscar nele a energia que necessita. Isso é orar.

Ele é a paz, o amor, a felicidade, a alegria, a harmonia, a bondade, a mansidão, a sabedoria, o conhecimento de tudo e, para alcançar esses dons, você os pede ao Pai. Isso é orar.

Já que Deus é seu Pai e sabe tudo sobre tudo e sobre todos, bem como sabe o presente, o passado e o futuro – você vai a ele para receber orientação sobre o que deve fazer, e como fazer, nas decisões relativas ao presente e ao futuro da sua vida. Isso é orar.

Você sabe que Deus é a eternidade e, então, você pede a ele para conduzi-lo pelos caminhos de uma eternidade feliz. Isso é orar.

Como o Pai sempre lhe atende em todos os seus desejos e pedidos, você tudo alcança. Ao alcançar, volta-se feliz a Deus, para agradecer e para louvá-lo. Isso é orar.

A maneira pela qual Deus se manifesta em você é em resposta à sua prece. Por isso você deve orar.

Lembre-se, pois, que Deus é amor – portanto, não precisa implorar.

Deus é inteligente. Pode você, porventura, informá-lo mais do que ele sabe?

Deus é justo. Precisa você pedir para que seja mais justo?

Deus é seu pai e criador. Precisa você lembrá-lo disso?

Então, diga simplesmente o que quer dizer na sua oração, com a certeza de que assim é e assim será. Amém.

TEM FUNDAMENTO ORAR PARA QUE CHOVA?

O Apóstolo Tiago conta numa de suas cartas: "Assim, Elias, que era um homem semelhante a nós, orou com insistência para que não chovesse, e não houve chuva na terra durante três anos e seis meses. Em seguida tornou a orar e o céu deu a sua chuva, e a terra voltou a produzir o seu fruto". (Tg. 5,16ss).

Há alguns anos, quando eu era estudante de teologia, ao participar de procissões para pedir chuva, era assaltado por considerações de que isso não tinha cabimento, já que a chuva e a seca eram fenômenos ligados à natureza. Chovia quando o tempo se preparava para tal. Fazia seca quando a situação climática não oferecia condições de chuva. A natureza obedecia as suas próprias leis. Assim considerava eu.

Hoje penso diferente.

Acreditando que existe um Poder Infinito no ser humano, devo reconhecer a verdade de que o filho de Deus pode fazer chover e pode fazer parar a chuva.

Não se trata de contrariar as leis de Deus que regem o universo, mas de fazer com que se estabeleçam as premissas necessárias para que as leis se manifestem. Elias, por exemplo, não fez chover sem água. O absurdo está aí e não no fato de serem criadas condições, por uma força superior, para que chova normalmente.

Leia a Bíblia e verá que Josué manteve a luz do dia até que tivesse tomado a cidade de Jericó.

Moisés fez jorrar água da rocha.

Jesus afirmou: "Tende fé em Deus. Em verdade vos declaro que, se alguém disser a esse monte: Sai daqui e lança-te ao mar; e se não duvidar em seu coração, mas crer firmemente na realização da sua palavra – há de acontecer assim mesmo. Por isso vos digo: Crede firmemente que recebereis tudo quanto pedirdes na oração – e ser-vos-á dado". (Mc. 11,20s).

Jesus mostrou a veracidade do que ensinava, acalmando a tempestade do Mar da Galileia, multiplicando os pães, caminhando sobre as águas.

Disse ele, em outra ocasião: "E estes sinais acompanharão os que tiverem fé...se beberem algo mortífero, não lhes fará mal..." (Mc. 16,15s). Eis aí o domínio sobre a matéria.

Certa vez, havia uma romaria ao Santuário da Medianeira, em Santa Maria, para pedir chuva, pois a seca estava causando enormes prejuízos à lavoura e trazendo falta de água à cidade. Um irmão meu foi participar da procissão de guarda-chuva na mão. Já que a finalidade era pedir chuva, preveniu-se. Pois, foi o único que pôde usar guarda-chuva, uma vez que, ainda antes de terminar a oração pública, desandou forte chuvarada na cidade.

Ao visitar o Convento da Penha, em Vila Velha, Espírito Santo, vi um grande painel que representava uma procissão sendo recolhida às pressas devido a uma forte chuva. A legenda falava de uma grande seca na região e os cristãos fizeram uma procissão para pedir chuva. Choveu durante o ato religioso.

Disse Jesus: "E se disser a este monte: Sai daqui e lança-te ao mar, há de acontecer assim mesmo".

Destas palavras do Mestre, podemos deduzir o seguinte: "E se disser a esta nuvem: Vem aqui e lança tua água sobre nós, há de acontecer assim mesmo".

DÁ RESULTADO REZAR PARA QUE AS PRAGAS DESAPAREÇAM DA LAVOURA?

Disse Jesus: "Tudo o que pedirdes ao Pai, em oração, crendo, alcançareis".

O homem é filho de Deus, portanto é o dono do universo, o rei da criação. Sendo assim, tem o domínio sobre os seres existentes.

Todas as criaturas de Deus existem na terra para cumprirem uma finalidade benéfica. Se, em algum lugar, em determinada situação, animais ou insetos estão prejudicando a justa ordem necessária, e tornando-se praga, cabe ao ser humano assumir o seu poder e determinar a saída desses bichos daquele lugar.

Como entrará em contato com as lagartas, com os gafanhotos, com os bichos daninhos?

Pela oração, pelo pensamento, pela mentalização.

Fale, na sua prece, do seu amor por todas as criaturas de Deus. Imagine-se, até, em reunião amistosa com todas as lagartas da lavoura, por exemplo, e diga-lhes que são seres queridos, criados por Deus, porém estão prejudicando a lavoura, que é fruto do trabalho e do sacrifício, e, portanto, devem retirar-se com urgência para outro lugar, onde não atrapalhem a plantação de ninguém. Veja para onde você vai mandar esses bichos e diga, com fé e firmeza, mas com amor, que devem retirar-se imediatamente. E agradeça. Assim será.

Diz a Bíblia que Deus criou o homem para presidir a obra da criação e dominar em toda terra. Use de seus direitos e poderes, pondo ordem e harmonia onde esses maravilhosos seres inferiores estão atrapalhando.

Certo dia, recebi o depoimento de uma senhora, que escreveu o seguinte: "No último encontro, o senhor disse que afugentou não lembro bem quais animais, que lhe estavam causando males e empecilhos. Nessa ocasião, na minha copa e cozinha alastrava-se uma onda de formigas que nada, nenhum remédio, conseguia afugentá-las. Então, eu falei com elas: "Vocês já me aborreceram muito; já estou perdendo a paciência com vocês. Que tal, formiguinhas, se vocês fossem embora? Olhem, aqui perto existe um telhado tão grande onde vocês podem passear à vontade e encontrar espaço maior. Que tal mudarem-se para lá ou procurar outro lugar melhor para morar? Até logo, podem ir, obrigada pela companhia que me fizeram por longo tempo, Ok, formiguinhas!"

Não preciso dizer que daí, no máximo, duas semanas, as formigas desapareceram por completo".

Este foi o depoimento. Veja você a simplicidade da oração daquela mulher.

ADIANTA FAZER PROMESSA?

São muitas as pessoas que fazem promessas para alcançar alguma coisa.

Prometem a Deus, à Virgem Maria, ou a algum santo, fazer, por exemplo, uma peregrinação até o Santuário da Aparecida, ou rezar cinquenta terços, ou fazer vinte comunhões, ou deixar de beber cerveja durante tantos dias, ou deixar de cortar o cabelo, ou deixar de comer doce, ou andar a pé até uma determinada igreja – se alcançarem a graça solicitada.

Há milhões de tipos de promessas, não só as que citei acima.

Tem valor fazer uma promessa?

Se você faz promessa para sensibilizar Deus, ou para fazê-lo compadecer-se, ou para convencê-lo a cumprir o seu desejo – está perdendo tempo.

A promessa nada tem a ver com Deus, e sim com você.

Quando é que sua oração é atendida? Quando é que seu pedido é atendido?

Sabendo a resposta desta questão, saberá qual é o sentido da promessa.

Deus rege o universo dos seres e das pessoas através de leis. E existe a lei da oração, expressa neste ensinamento do Mestre: "Crede firmemente que recebereis tudo quanto pedirdes na oração – e ser--vos-á dado". (Mc.11,20s).

Pelas palavras de Jesus, fica claro que a lei da oração é a lei da fé. Tudo o que você pedir e acreditar – acontecerá. É assim que Deus se manifesta.

Quando você colocar corretamente as premissas da lei da oração, o resultado não falhará.

Se Deus atendesse a promessa por causa da promessa, isto significaria que o resultado da oração depende do sacrifício, da penitência, do esforço, do sofrimento. Jesus nunca ensinou isso.

Também, é de se ressaltar que Deus não é sádico para se comprazer com o sacrifício, com as privações e com os sofrimentos.

Jesus simplesmente disse: "Tudo o que pedirdes ao Pai, em oração, crendo, alcançareis".

- Então – perguntará você – não se deve fazer promessa?

Devagar com o andor.

Toda a promessa tem valor e adianta alguma coisa se conseguir ativar a sua fé.

Como é a fé que produz o milagre, se a sua promessa reforça a sua fé, a sua oração será atendida, não por causa do sacrifício realizado ou prometido, mas por causa da fé.

Agora você compreende que a promessa só tem a ver com você e não com Deus.

Veja o que acontece psicologicamente com quem faz uma promessa. Suponhamos que você promete deixar de comer doce até alcançar a graça desejada: Cada vez que você vê um doce, aviva-se na sua mente a graça que busca, a vontade de alcançá-la e a crença de que vai conseguir, porque está se privando de uma guloseima por amor a Deus.

Seja por que caminho for, certo ou errado, a fé, em sendo fé, sempre produz as obras.

Se você promete realizar um sacrifício, por exemplo, uma peregrinação ao Santuário da Aparecida, se conseguir a graça, isto ativará a sua fé. Cada vez que lembrar a promessa, pensará na obtenção, e cada vez que pensar na obtenção da graça, pensará na promessa. Sempre haverá um reforço mental em direção à fé.

Assim considerando, a promessa, em si mesma, não tem valor, porque não é o sacrifício que produz o milagre e sim a fé. Mas, será benéfica a você se conseguir acionar a sua fé de que alcançará a graça solicitada.

Se existir fé numa única palavra, orada até mesmo na cama, produzirá o milagre; se não existir fé em cinco mil sacrifícios, duzentos terços, vinte quilômetros percorridos a pé até a igreja – não acontecerá o milagre.

Portanto, se você acha que a promessa, que está fazendo, reforça a sua fé, tem valor, porque está ajudando a colocar corretamente as premissas da lei da oração.

Você torna a perguntar:

- E, se depois de alcançar a graça, me for muito difícil cumprir a promessa, ou até mesmo impossível?

Antes de tudo, é bom ressaltar que, se você fez uma promessa e alcançou a graça, é bom cumpri-la, pois, caso não o fizer, poderá ficar com complexo de culpa. Poderá sobrar-lhe a sensação de ter enganado a Deus.

- Mas, se for muito difícil cumprir? – tornará a indagar você.

Qualquer promessa pode ser trocada por outra.

Se você, por exemplo, prometeu ir ao Santuário de Fátima, em Portugal, e, agora, não pode, porque não tem dinheiro para tal, ou porque tem filhos pequenos para cuidar, peça a um sacerdote ou pastor da sua Igreja para que ele substitua essa obrigação por outra mais simples e fácil de cumprir. Pode substituir, por exemplo, pela leitura do Novo Testamento inteirinho, ou por uma singela doação aos pobres, assim por diante.

CAPÍTULO 13
ORAÇÕES

Muitas pessoas não sabem como orar, isto é, não sabem o que dizer na sua oração.

Se, numa palestra, peço para fazerem a oração da riqueza ou da cura, alguns me esperam na saída, para que lhes escreva uma prece específica.

A melhor oração é aquela que brota dos lábios e nasce no coração da pessoa orante.

No entanto, para ajudar-lhe a dizer, na sua prece, aquilo que quer dizer, e que precisa dizer, vou escrever alguns modelos aqui.

Sirva-se destas orações enquanto elas têm algo em comum com você e com o motivo da sua oração.

ORAÇÃO PARA O SEU DIA DE TRABALHO

Este vai ser o meu melhor dia. Estou alegre, bem-disposto, em perfeito estado de saúde física e mental.

Deus está em mim, me ama, me conduz com segurança e sucesso pelos caminhos deste dia. Sou protegido divinamente.

Desde já só alimentarei pensamentos de energia, de coragem, de colaboração e de criatividade.

Sei que existe dentro de mim um Poder Infinito, que me protege e me impele para a autorrealização e para a prosperidade.

Estou em paz e irradio paz e amor para todas as pessoas, principalmente para os colegas de trabalho. Trato a todos com respeito, com amizade, com paciência e tolerância. Faço a cada um o que desejo que façam a mim.

Esqueço o passado e os desentendimentos. Agora todos nos damos bem e vejo somente o lado bom de cada colega.

Cumprimento a todos, respondo com alegria as saudações re cebidas, e considero que todos gostam de mim, sem exceção.

Estou sempre otimista, disposto a ajudar no trabalho dos outros; tenho ótimo espírito de colaboração.

Sirvo todas as pessoas com respeito e calma, assim como desejo que os outros me sirvam.

Este é um dia muito feliz e cheio de sucesso. Assim é e assim será.

PRECE DE PROTEÇÃO CONTRA O MAL DOS OUTROS CONTRA VOCÊ

Envolvo-me, agora, num círculo luminoso de proteção divina. Nenhum malefício pode penetrar este círculo divino em torno de mim.

Deus está comigo, por isso eu e Deus somos a força mais poderosa do mundo, contra a qual nada e nem ninguém pode.

Estou tranquilo, confiante, seguro de mim, despreocupado e liberto.

A Luz Infinita ilumina os meus passos e só passarei por caminhos abençoados, divinizados e maravilhosos.

Assim é e assim será.

ORAÇÃO PARA SER BEM-SUCEDIDO NA VIDA

Levanto a minha mente agora até os altos ideais da minha vida. Desejo crescer cada dia mais em riquezas espirituais, mentais e materiais.

A Inteligência Infinita me guia os passos e as decisões, de tal forma que tenho a certeza de que, a cada dia, meu sucesso é maior e maior.

Pelo Poder Infinito, que tudo me atende, estou me realizando plenamente nos desejos de saúde, de amor, de paz, de concórdia, de riqueza, de sucesso e de felicidade. Assim é e assim será.

PARA LIBERTAÇÃO DOS TRAUMAS

Sei que tenho um Poder Infinito dentro de mim, cuja força desfaz os traumas do passado; e sei que existe uma Sabedoria Infinita, no meu subconsciente, que transforma a sombra em luz. Estou liberto do passado.

Começo, aqui e agora, uma nova vida, com a mente límpida, por isso nunca mais revolvo o passado, pois ele não existe. Eu sou o que sou agora, e agora minha mente está liberta, limpa, iluminada, positiva e saudável. Esta é a minha verdade. Agora eu sou assim e assim serei sempre. Amém.

PARA VENCER A DEPRESSÃO

Varro agora mesmo os males que me afligem. Nunca mais repisarei o passado.

Levanto o meu espírito até Deus, onde só existe luz, alegria e felicidade.

Encontro-me, neste instante, diante da minha legítima realidade de filho de Deus perfeito, saudável, cheio de vida e de energias. Sou forte, revigorado, descontraído, radiante e positivo. Agora me sinto maravilhosamente bem. Graças a Deus, estou liberto e muito feliz. Sinto-me cheio de energia. Voltaram-me as forças e já quero andar, sair, passear, visitar as pessoas, trabalhar, estudar, ler, praticar esportes e seguir em frente pelos caminhos grandiosos da minha vida. Agora sou outra pessoa. Amém.

PARA A ALEGRIA DE VIVER

Alegria, alegria. A vida é uma festa. Jogo fora toda a tristeza e decepção. A vida começa agora, e agora estou numa boa, radiante como um lindo dia de sol.

A vida é o mais lindo dom de Deus, por isso a estou curtindo com toda a vitalidade e esplendor.

Cada passo é um movimento de alegria; cada palavra é palavra de alegria; cada gesto é gesto de alegria; cada pensamento é pensamento de alegria. Sinto a vida a meu favor. Eu amo esta vida, que está se tornando cada dia melhor e melhor. Viva a vida. A vida é uma festa para mim. Amém.

PARA VENCER AS PREOCUPAÇÕES

Sei que existe em mim um Poder Infinito, que tudo me alcança; e sei que existe em mim uma Sabedoria Infinita, que conhece todas as soluções.

Invoco a Sabedoria Infinita para encontrar as soluções que desejo e para me guiar, desde agora, por esse caminho de luz; e invoco o Poder Infinito para realizar todos os meus desejos, atendendo sempre às minhas necessidades. Foram-se as preocupações. Estavam sobrando e joguei-as fora. Pronto, agora só existe paz em mim, autoconfiança, certeza de que tudo está indo em perfeita ordem na minha vida. Curto a alegre expectativa de que o Poder Divino e a Sabedoria Infinita cuidarão de tudo. Sigo a orientação e me despreocupo totalmente, porque assim é e assim será. Amém.

PARA DORMIR SEM COMPRIMIDOS

Sei que Deus fez a noite silenciosa, agradável, profunda, harmoniosa e calma a fim de me dar todas as condições para dormir tranquilamente um sono saudável e benéfico.

Agora relaxo todo o meu corpo, descanso a minha mente, acalmo o meu coração, e durmo, durmo profundamente.

Eu quero dormir e sei que este sono, que me invade, fecha os meus olhos e já me conduz a um sono profundo e reparador.

Meus ouvidos já estão fechados para todo ruído interior e exterior; minha mente está aliviada e pronta para dormir.

Estou com sono, com muito sono. Meus olhos se fecham para um sono irresistível.

Estou calmo, cansado, com sono, com muito sono.

Sinto a mão suave do Pai Celestial sobre o meu rosto e fechando as minhas pálpebras. A Presença Divina me protege durante este sono, por isso durmo tranquilo e amanhã acordarei cheio de energia, cheio de vida e com a certeza de que será o melhor dia da minha vida.

Meu sono está irresistível; não aguento mais de tanto sono. Convido minha mente e meu corpo a dormirem comigo na boa paz de Deus. Agora. Amém.

PARA NÃO TER PESADELOS E NEM SONAMBULISMO

Volto-me para o interior da minha mente consciente e subconsciente e determino que, em nome do Deus que habita o meu ser, haja harmonia e amor dentro de mim. A paz infinita está invadindo minha mente e meu corpo, de tal forma que, nesta noite, dormirei um sono profundo e reparador.

Tanto a mente quanto o corpo descansarão na cama. Sim, na cama. Não precisam mais agitar-se ou levantar enquanto estou dormindo. Nada disso.

Agora há uma interação maravilhosa e positiva entre a mente e o corpo e ambos descansarão total e completamente. Nunca mais levantarei sonhando e só terei sonhos benéficos e saudáveis.

Eu sou filho de Deus perfeito e a perfeição se manifesta em mim, nesta noite, e em todas as noites. Assim é agora e sempre.

PARA ACORDAR BEM-DISPOSTO E DESCANSADO

Agora eu vou dormir um sono abençoado, protegido, saudável e calmo.

Acordarei amanhã cheio de energias, bem-disposto, em ótima forma e em perfeito estado de saúde.

A Presença Infinita, nesta noite, realizará a obra da recuperação das forças e processará a regeneração do corpo todo. Acordarei rejuvenescido e irradiando vitalidade.

Minha mente descansará envolta em paz celestial e, ao acordar, sentirei uma imensa alegria de viver, bem como uma vontade irresistível de levantar e começar a jornada do dia, com entusiasmo, com ânimo superior e com o sorriso se multiplicando em meus lábios.

Desde já estou agradecido a Deus pelo lindo dia que me espera, ao acordar deste sono tranquilo e reparador. Assim é e assim será.

PARA PERDOAR A QUEM OFENDEU

Ouço, agora, nas profundezas do meu ser, a voz do meu Pai Celestial, que me diz: "Se perdoardes aos homens as faltas deles, também vosso Pai Celeste vos perdoará as vossas faltas".

Perdoo com simplicidade, com sinceridade, e de bom coração, a quem me ofendeu ou quis me prejudicar.

Sei que Deus, que habita o meu íntimo, tudo me alcança, por isso não esquento a cabeça com o problema dos outros.

Compreendo que possa haver muitas pessoas com baixa capacidade de compreensão e com pouca luz interior, por isso perdoo, porque não sabem o que fazem. Vejo, em cada pessoa, o próprio Deus que nela habita, e, então, me é simples e fácil perdoar, reverenciar, levantar a cabeça, cumprimentar e estender as mãos.

Ninguém pode me ofender ou prejudicar a não ser que eu ouça a ofensa e a guarde dentro de mim; portanto, só depende de mim não carregar ofensas e nem prejuízos. Minha mente, agora, se fecha a todo mal e a todo negativismo e se abre para o perdão e o amor, vendo em todas as criaturas verdadeiros filhos de Deus.

Peço que o Pai Celestial, que está em mim, me recompense por tudo o que os outros ficaram me devendo, e sei que estou recebendo a recompensa multiplicada. Assim é maravilhoso. Perdoo e irradio amor. Agora só existe amor e boa vontade entre nós. E um círculo de amor infinito nos envolve, de tal forma que estamos nos tornando os melhores amigos, ligados por um laço de fraternidade sincera, profunda e permanente. Amém.

PARA NÃO ENTRAR EM SINTONIA COM AS CRÍTICAS MALDOSAS

Quero, antes de tudo, reconhecer que eu sou o que sou e não o que os outros dizem de mim. Só penetra em mim o que eu aceitar. Fecho, então, meus ouvidos e minha mente a todo negativismo perturbador.

Prefiro ouvir as palavras da Verdade Superior que dizem que eu sou filho de Deus perfeito, muito inteligente, cheio de capacidade; que eu sou um sucesso em tudo o que faço, porque o Poder Infinito é a minha Força realizadora; que eu sou uma criatura maravilhosa, bondosa, positiva, cheia de amor, cercada pelo amor de todas as pessoas.

Ao invés de abaixar-me até o mal, subo cada vez mais às alturas radiosas do Bem, da Luz, da limpidez e do mundo de Deus.

Sinto-me, agora, calmo, tolerante, compreensivo e liberto de toda e qualquer contrariedade.

Aceito os outros como são e perdoo tranquilamente. Tudo esquecido.

Volto-me somente para as palavras carinhosas, elogiosas, positivas, incentivadoras e benignas de tanta gente que se envolve na minha aura de luz abençoada. Assim é e assim será. Amém.

PARA ALCANÇAR ALGUM OBJETIVO IMPORTANTE NA VIDA

Reconheço a verdade do ensinamento do Mestre Jesus, que me disse: "Pedi e recebereis, porque todo aquele que pede, recebe". Esta verdade agora está acontecendo na minha vida, alcançando-me a realização deste objetivo tão importante para mim: (Mentalize o objetivo como já alcançado).

Sei que tudo é possível, simples e fácil àquele que crê, porque a realização é entregue ao Poder Infinito e à Sabedoria Infinita, imanentes em mim. Todos estamos de acordo com esta realidade, portanto já está se expressando de forma maravilhosa e perfeita.

Estou muito feliz e cheio de alegre expectativa.

Festejo em mim esta verdade mental e física e agradeço ao Pai Celestial, que tudo me dá, e a Jesus, que me ensinou este caminho tão simples.

Obrigado. Obrigado. Obrigado, porque assim é e assim será. E não pode deixar de ser. Amém.

PARA A LIBERTAÇÃO DO FRACASSO

Pai Celestial, que habitas o meu interior e me és a Fonte inesgotável de tudo, obrigado pela compreensão que me deste de que não existe o fracasso e, sim, que tudo são caminhos abençoados que me levam, de forma mais rápida e perfeita, à realização plena das minhas metas na vida.

Encaro esse acontecimento como um recuo estratégico, para dar impulso mais forte e preciso na direção do meu sucesso total.

Agora, entrego a minha situação a Deus e peço que me guie para a solução perfeita e para a realização plena da minha meta atual na vida.

Nada mais deterá os meus passos. Seguirei firme e confiante.

Pago a todos os devedores, faço aos outros o que desejo que façam a mim – como me ensinou o Divino Mestre Jesus – e recebo multiplicadamente os bens que necessito, e que agora peço ao Pai Celestial, em nome de Jesus.

Estou no caminho certo e progrido cada dia mais e mais.

Sinto-me agora desamarrado, liberto, animado, positivo, otimista e com uma força inquebrantável para seguir em frente, porque tudo está dando certo. Assim é assim será. Obrigado. Amém.

PARA SUPERAR A FRAQUEZA E MOLEZA NO CORPO

Meu corpo é templo do Altíssimo, por isso é forte como coluna de concreto, bem armado como as grandes catedrais, bonito e atraente como os templos mais grandiosos!

A energia infinita jorra em mim impetuosamente e eu me sinto em plena forma. Uma vitalidade incrível me domina e sinto vontade de trabalhar, seguir em frente nos meus empreendimentos, realizar a minha missão, e semear a boa semente que me dará frutos maravilhosos.

Como me sinto forte e saudável! Meu corpo é energia vigorosa. Sinto uma elasticidade dinâmica dentro de mim, que me impulsiona para frente.

Estou reanimado, revitalizado e cheio de saúde, pelo Poder Divino que está se manifestando em mim agora. Amém.

PARA SER INTELIGENTE E APRENDER COM FACILIDADE

Reconheço que sou filho de Deus perfeito e que a minha inteligência está ligada na Inteligência Infinita. Portanto, eu sou muito inteligente, tão inteligente quanto os grandes gênios, e não posso deixar de ser. Esta é a minha realidade.

Se, até agora, mantive a falsa crença de carregar uma inteligência medíocre e fraca, aliada a uma memória insignificante, jogo fora imediatamente esta falsidade e proclamo para mim mesmo que sou muito inteligente, tenho ótima memória e aprendo tudo com facilidade.

A Luz Divina está iluminando a minha mente consciente e subconsciente e tudo funciona na mais perfeita ordem e harmonia.

Agradeço-te, Pai Celestial, pelo reconhecimento desta verdade e pelo uso maravilhoso que farei, daqui por diante, da minha brilhante inteligência e grandiosa memória. Amém.

PRECE DA RIQUEZA

Agradeço-te, Divino Mestre Jesus, porque vieste trazer a boa nova aos pobres pelo ensinamento simples e verdadeiro de que tudo o que a gente pede, recebe.

Sei que não estavas brincando quando ensinaste esta profunda verdade.

Também, não importa se não alcanço ainda a compreensão profunda deste ensinamento. Basta-me, no entanto, saber que tudo o que peço eu alcanço. Esta é a lei da riqueza. Este é o caminho verdadeiro. Tão simples e tão natural!

Peço, neste instante, que a riqueza jorre para mim como uma chuva torrencial, através da qual já estou pagando todas as contas, adquirindo tudo o que desejo, e preciso, para me expressar plena e confortavelmente na vida.

Minha mente está rica, porque acredito sinceramente que a riqueza está vindo em minha direção, atraída por uma Força Divina irresistível.

Nunca mais alimentarei pensamentos de pobreza, de medo, de dúvidas e de complexos negativos.

Eu e o Deus que habita o meu ser, e a minha casa, somos a riqueza infinita. Desejo que esta riqueza se manifeste plenamente em mim e, de mim, se expanda para toda a humanidade, assim como a chuva abastece o rio e o rio corre para o oceano universal.

Nunca mais me preocuparei. Deixo tudo nas mãos de Deus, Fonte da abundância inesgotável.

Minha mente, pois, está límpida, desapegada, liberta, alegre e feliz. Curto a vida, como grandiosa manifestação do amor de Deus, e sinto-me no reino dos céus. Amém.

PARA GOSTAR DE SI

Pai Celestial, agora reconheço que nasci como obra-prima do teu amor, por isso me considero uma criatura maravilhosa, perfeita, cheia de qualidades, inteligente, bonita, radiante, saudável e criativa.

Olho para dentro de mim e contemplo a dimensão infinita do meu ser. Meu corpo é templo do Altíssimo e minha mente é morada do Pai.

Sou tudo, porque Deus é em mim; e sou único na minha individualidade, porque o grande Artista não se repete.

Sim, Pai Celestial, agora eu sei que tu me fizeste obra-prima, assinaste embaixo, e permaneces em mim para que esta obra nunca jamais se deteriore.

Que coisa admirável!

Obrigado, Pai, porque me fizeste assim.

Gosto de mim, porque tudo o que tu fazes é bom e grandioso.

Gosto de mim, porque me iluminaste de amor.

Gosto de mim, porque reconheço este mundo tão elevado, tão bonito, tão querido, tão terno e tão amoroso, que criaste em mim.

Pai, como tu gostas de mim, para me fazeres com todas essas qualidades!

Agora estou feliz, ó Pai Celestial, pelo que sou, com o que sou, e te dou graças, com muito amor. Amém.

PARA NÃO SENTIR SOLIDÃO

Pai Celestial, muito obrigado porque tu me fizeste em comunhão contigo e com todo o teu universo maravilhoso.

Eu sou em ti, tu és em mim, e nós dois somos um com o universo dos seres humanos, dos animais, das plantas, das estrelas, das águas e de todos os seres existentes.

Nesta comunhão, tão imensa e grandiosa, não existe solidão.

Eu gosto de mim, por isso me sinto muito bem na minha própria companhia. Portanto, estou sempre bem acompanhado.

Sinto-me em interação universal e este envolvimento de amor me torna feliz, feliz, muito feliz. E pessoa feliz não sofre de solidão.

Abençoo-te, Pai, porque fazes tudo perfeito e simples.

Ilumina-me de amor sempre mais e mais, para que eu possa continuar cantando a alegria de viver. Amém.

PARA SE SENTIR BEM EM QUALQUER LUGAR

Meu Pai, sei que tudo o que existe foi criado por ti com amor e arte, por isso não há lugar pior ou melhor. Todos os lugares são lindos e abençoados. Basta eu olhar com amor a obra da criação do mundo.

Nunca mais fecharei os olhos para as belezas do universo.

Quero agora iluminar o meu coração de amor e alegria, para que essa luz embeleze ainda mais o lugar onde vivo, o ambiente onde estou.

Não vou querer esperar que os outros tornem aconchegante e agradável o ambiente em que vivo. Eu é que agora colocarei luz, amor, encantamento e boa vontade em todos os lugares.

A minha mente é a lâmpada dos meus olhos. Ilumino a minha mente de forma positiva e alegre, e os lugares, por onde eu passar, estarão iluminados, positivos e alegres. Assim é, porque eu sou o que penso e os meus pensamentos criam a realidade do meu mundo exterior. O mundo exterior, portanto, é o resultado da minha mente. Pois, como agora estou alegre e feliz, meu mundo exterior também está alegre e feliz.

Eu gosto deste lugar e me sinto maravilhosamente bem. Assim é e assim será. Amém.

PARA DEIXAR A BEBIDA ALCOÓLICA

Meu Deus e Criador, tu me fizeste grande, forte, poderoso, inteligente, à tua imagem e semelhança; tu me fizeste senhor de mim e do mundo que me envolve. É por isso que não admito que a bebida me domine. Não há porque me dominar.

Pai Celestial, tu estás em mim e comigo, portanto eu e tu somos a força mais poderosa do mundo, daí que é ridículo eu dizer que a bebida me domina.

Não, de forma nenhuma!

Assumo agora a minha grandeza e poder e determino categoricamente, revogando tudo o que for contrário, que a bebida me abandone para sempre.

Agora, só beberei o que quiser, quanto eu determinar, na hora que determinar. Sou o senhor de mim mesmo.

Deus é o Poder Infinito, que agora se manifesta em mim, sob meu pedido de intervenção, para que a bebida seja lançada longe, bem longe de mim, e nunca mais retorne. Está definitivamente expulsa a bebida da minha vida.

Determino, com toda a minha força moral, física e intelectual, que só bebo água, refrigerante, leite, café, sucos e bebidas não-alcoólicas.

Cerveja, jamais passarei de uma garrafa por dia, por enquanto; depois de um mês, não sentirei mais vontade de beber.

Whyski, pinga, conhaque, licores e semelhantes – nunca beberei mais do que uma dose do tamanho de um cafezinho, por dia; depois de um mês, essas bebidas não me oferecerão nenhum atrativo e deixarei de beber ao natural, sem esforço e sem sofrimento.

Agradeço-te, ó Pai, porque tu és a minha Força, que me faz cumprir rigorosamente essa ordem interior. Não tenho nenhum medo de falhar. Não posso falhar, porque Deus nunca falha, e coloquei Deus como minha Força irresistível.

Estou muito feliz. E minha alegria e felicidade é multiplicada pela alegria e felicidade dos meus familiares, dos meus amigos verdadeiros, dos meus colegas de trabalho, dos meus irmãos de fé, que agora gostam muito mais de mim e gostam da minha companhia.

Prometo rezar esta oração poderosa vinte vezes por dia, ou mais, até o dia em que não preciso mais rezar, porque não preciso mais beber.

Pai, contigo tudo é fácil. É a tua Força e Poder que agem em mim, por isso é muito mais simples e fácil ainda.

Estou feliz, liberto, saudável, renascido.

Agora, sou outra pessoa.

Assim é e assim será agora e sempre. Amém.

PARA DEIXAR DE ROER AS UNHAS

Invoco, neste momento, o Poder Infinito, imanente em meu subconsciente, para tornar-me uma pessoa equilibrada, saudável e positiva.

O passado não existe mais. Limpo o meu subconsciente de todas as programações negativas.

Na minha legítima ordem de ser, eu sou filho de Deus perfeito e não um roedor; portanto, nunca mais vou roer as unhas. Nunca mais. Estou liberto. Completamente liberto.

Tenho comando total e absoluto dos meus braços, das minhas mãos e dos meus dedos, e determino que fiquem em seus lugares, servindo-me para os fins benéficos a que foram criados por Deus. Como não sou roedor, dou ordem terminante às minhas mãos e dedos para que nunca mais se aproximem da minha boca com essa finalidade desagradável.

Jogo fora para sempre qualquer razão de ordem subconsciente que levava a essa bobagem e sinto-me liberto, seguro de mim, dono de mim mesmo, forte, positivo, saudável, cheio de amor e feliz.

Eu sou o autor da minha vida, portanto, daqui para frente, uso o Poder Infinito, que existe dentro de mim, para alcançar os meus objetivos e me sentir maravilhosamente bem. Assim é e assim será. Amém.

PARA PERDOAR-SE E DEIXAR DE AUTOPUNIR-SE

Jesus, obrigado porque tu ensinaste a maravilhosa e terapêutica Lei do Perdão, que nada mais é do que desligar o mal da mente. Agora eu sei que, desligando o mal da minha mente, jogando fora da mente, mandando embora da mente, eu estou perdoado, isto é, o mal não existe mais em mim.

Que maravilha!

Agora mesmo, pois, mando embora da minha mente e do meu corpo todos os males e erros da vida passada.

Sei que só existe em mim o que existe na mente; como já mandei embora os males e erros da minha mente, não existe mal nenhum em mim.

Que milagre simples e grandioso!

Nunca mais remoerei o passado.

Eu sou o que sou agora. Como agora só existe paz e amor dentro de mim, então esta é minha verdadeira realidade.

Não aceito mais nenhum pensamento negativo do passado. Não aceito, porque o passado não existe mais.

Recuso-me terminantemente a remoer o passado.

Sinto-me, desde já, uma nova criatura, alegre, límpida, positiva, saudável e abençoada.

Sigo em frente, com esta verdade na minha cabeça.

Minha vida é hoje, aqui e agora; e hoje, aqui e agora eu tenho a mente consciente e subconsciente limpas como as fontes cristalinas das montanhas.

Estou perdoado, feliz, saudável, liberto e em paz. Sim, em paz.

Assim é e assim será.

PARA DEIXAR DE FUMAR

Pai Celestial, tu me deste um corpo perfeito, feito à tua imagem e semelhança, e eu quero conservar esse corpo como me deste, sem causar nenhum prejuízo intencional, por isso deixei de fumar. Nunca mais me interessarei em botar na boca qualquer coisa para fumar. Sei que o prazer é um estado mental, então mentalizarei o prazer de viver, a alegria de ser filho de Deus perfeito, o sucesso de cada dia, o amor iluminando o meu coração; e agora, sim, me sinto compensado, satisfeito e feliz.

Pai, ligo-me na tua força infinita e irresistível, de tal modo que deixei de fumar com a maior naturalidade, sem nenhum esforço e sem sacrifício. Até acho graça de ver pessoas queimando fumaça na boca, diante de mim.

Sinto-me liberto, saudável, feliz e agradecido. Assim é agora e sempre.

PARA SUPERAR A INSEGURANÇA

Reconheço definitivamente a verdade de que Deus habita o meu interior e, portanto, seu poder e sabedoria me envolvem e conduzem meus passos pelos caminhos de cada dia.

Com essa certeza, sinto-me seguro de mim, autoconfiante e tranquilo.

Ligo-me no Poder Divino e na Sabedoria Infinita, existentes no âmago do meu ser, e peço que me conduzam seguramente para a realização dos meus objetivos, dos meus ideais e dos meus desejos positivos e benéficos.

Agora estou em paz e estarei sempre seguro de mim e em paz. Amém.

PARA DESFAZER A ANSIEDADE E ANGÚSTIA

Entro, agora, no interior da minha mente consciente e subconsciente e varro daí toda angústia e ansiedade. Não preciso nem saber a causa.

Só preciso determinar que desapareça definitivamente essa agonia, esse aperto, essa sensação de mal-estar, e é o que estou fazendo agora.

Limpo a minha mente de todo passado, presente e futuro negativos e perturbadores.

Sei que sou filho de Deus perfeito e, como filho de Deus perfeito, sou guiado divinamente no meu mundo de amor, de negócios, de saúde, de relacionamento, de decisões, de compromissos. Tudo está dando certo para mim. Deus me guia maravilhosamente bem.

Agora me sinto leve, saltitante, confiante, livre como as aves no céu.

Como é bom viver assim! E será sempre assim. Amém.

PARA VENCER A TIMIDEZ

Olho para dentro de mim com olhos límpidos, claros, profundos e reconheço que sou muito mais do que pensava. Na verdade, sou filho de Deus perfeito; sou muito inteligente; tenho a sabedoria dos gênios e a capacidade dos grandes homens. Sou capaz de fazer tudo o que desejo e preciso fazer. Nada mais me perturba e nada me inibe. Agora estou solto e autoconfiante.

Sinto impulso benéfico de agir com segurança e naturalidade em todas as circunstâncias, por exemplo, quando falo, canto ou me apresento em público; quando estou nas rodas de amigos e amigas; quando pedem a minha opinião, nas reuniões; quando preciso expor numa aula; quando tenho tese a defender; quando preciso discursar; quando deve participar de solenidades de casamento, colação de grau, homenagens, inaugurações, e em qualquer outro evento...

Invoco a Sabedoria Infinita, que habita a minha mente, para me conduzir, com segurança e sabiamente, em todas as circunstâncias, de modo que não sou eu que ajo, mas é Deus que age em mim. Isso me deixa na mais perfeita paz, com a certeza absoluta de que sempre sou bem-sucedido em qualquer situação. Amém.

BÊNÇÃO PARA A PLANTAÇÃO

Deus, Pai e Criador, tu, que ensinaste a descobrir as sementes, a plantar, a cultivar e a colher, para o sustento dos teus filhos, abençoa esta plantação, derrama a tua seiva divina em cada semente, em cada broto, em cada planta desta lavoura, e protege-a contra qualquer espécie de perturbação ou prejuízo.

Sei que tu fizeste o mundo perfeito e harmonioso; sei que as dificuldades de clima, de solo, de tempo, de pragas, não fazem parte do equilíbrio total determinados por tua sabedoria infinita.

Eu não sei muito sobre a ordem positiva do universo, mas tu sabes tudo. Por isso, entrego-te essa lavoura para que cuides dela, determinando que se retirem os bichos que não estão em seu lugar certo e partam para viver onde não possam prejudicar a si mesmos e nem aos outros seres; determinando que cada planta retire da terra, da água e do ar toda energia de que precisa para o rendimento multiplicado.

Como rei da criação, eu também abençoo as plantações desta lavoura e de todas as demais lavouras, que aí estão para o benefício dos filhos de Deus e das criaturas deste mundo de Deus.

Cada dia elevo o pensamento para o Alto e, em nome do Pai Criador, derramo a energia de Deus e do universo sobre cada planta, agradecendo tantas recompensas multiplicadas que receberei de cada uma destas criaturas maravilhosas.

Farei o possível para cuidar e proteger todas as plantas e o que não for possível fazer deixo em tuas mãos sábias e poderosas, meu Pai e Criador.

Sei que tua bênção multiplicará os frutos para minha alegria e para que a abundância seja uma constante aqui na terra. Assim é e assim será.

PARA A AUTOVALORIZAÇÃO

Um dia, eu não existia, era nada. Deus me imaginou, gostou da ideia e quis que essa ideia linda e grandiosa acontecesse no seu universo maravilhoso. Então, Pai Celestial, tu me criaste, com capricho, com arte, com muito amor.

Nasci de ti, da tua genialidade e, por esta justa razão, não posso deixar de considerar-me uma obra-prima da criação. Sim, realmente, tu me fizeste cheio de qualidades, cheio de dons, cheio de beleza e me encheste de riquezas sem fim.

Ao fazer-me à tua imagem e semelhança, deste-me uma inteligência ilimitada e uma dimensão superior à minha mente.

Reconheço agora que sou filho de Deus perfeito, de tamanho divino, dono do universo, portador do Poder Infinito em mim, capaz de alcançar tudo o que desejo neste mundo bendito.

Ah, como me sinto grande e cheio de valor agora!

Obrigado, Pai Celestial! Amém.

PARA QUEM PERDEU O EMPREGO

Meu Pai Celestial, eu me ligo em ti, confio em ti e entrego a ti a solução dos meus problemas.

Como tu és a Sabedoria Infinita e o Poder Infinito, tenho certeza que não perdi o emprego, mas, simplesmente, estou sendo conduzido ao meu lugar certo neste mundo, onde posso me realizar plenamente e contribuir muito mais do que até agora, para tornar este mundo melhor do que está.

Obrigado, meu Deus, porque estás me conduzindo a um emprego melhor, a um trabalho onde exercerei mais plenamente meus dons; onde dedicarei, com mais proveito, minhas energias. Por isso, não perdi o emprego; estou, isto sim, ganhando o melhor emprego e o trabalho mais frutuoso da minha vida.

Obrigado, Pai Celestial!

Podes abrir-me a porta desse emprego que, com certeza, tudo farei por merecê-lo e por valorizá-lo.

Esqueço o passado.

Começo uma nova vida daqui para frente, guiado divinamente por ti, meu Pai sábio e bondoso!

Creio, desde já, que estou sendo conduzido para o meu novo emprego e o recebo com muita alegria e entusiasmo, prometendo desempenhá-lo com a capacidade que esperas de mim. Amém.

PARA SER BEM-SUCEDIDO NO EMPREGO

Volto-me, agora, para o Deus que habita o meu interior, fonte do poder e da sabedoria, pedindo que me guie nesse emprego a fim de que eu possa desempenhá-lo com inteligência, boa vontade, alegria e capacidade.

Dou tudo de mim neste trabalho, buscando o sucesso e o progresso da empresa.

Sou tolerante com os espíritos menos elevados.

Não dou a mínima importância a mexericos, escândalos, fofocas, intrigas, seja de quem for. Procuro sempre ver o lado positivo das pessoas que trabalham comigo, por isso todas as pessoas gostam de mim e me prestigiam.

A Sabedoria Infinita me ilumina em todas as decisões e nos passos que devo dar dentro dos setores da minha competência.

Sou conduzido divinamente a subir sempre mais e mais, porque a empresa está precisando de pessoas com as minhas qualidades, com a minha responsabilidade e honestidade, para cargos mais altos.

Sou agradecido a Deus, pois também eu estou progredindo sempre mais e mais, ganhando sempre mais e mais, já que é dando que se recebe multiplicadamente.

PARA QUEM SOFREU UMA INJUSTIÇA

Nesta prece calma e lúcida, peço a Deus o dom superior de esquecer a injustiça e perdoar completamente quem a praticou, porque sei que há uma Justiça Maior, aquela lá de cima, que sempre me paga corretamente de acordo com os meus pensamentos, sentimentos e atos.

Com esta compreensão, reconheço que ninguém pode me prejudicar, pois existe uma Lei do Retorno, pela qual Deus sempre me dá a justa e devida paga de tudo o que devo receber.

Não esquento mais a cabeça. Acalmo os nervos. Alivio a mente. Sorrio para mim e para todas as pessoas, e sigo em frente, com a certeza de que o que me pertence, por direito e de fato, ninguém pode me retirar. E, se ainda houver alguma incompreensão ou injustiça, não me preocupo, porque receberei tudo o que me pertence, com juros e correção monetária.

Agora sinto-me leve, liberto e positivo.

Entrego a Deus a solução correta desta situação e não me incomodo mais. Tudo está dando certo e já estou recebendo o que me pertence na justa e devida ordem.

PRECE PARA O CASAMENTO EM CRISE

Sei que o amor, no casamento, é como o sol: Ilumina-se a si mesmo e ilumina os outros.

Abro, agora, as portas e janelas do meu coração para que a luz e o calor do amor nos ilumine e nos aqueça.

Perdoo o passado e jamais o revolverei na mente, porque o passado não existe. A vida é hoje, aqui e agora. Daí que é simples e fácil revitalizar o meu casamento agora, ser feliz agora, renascer para uma vida a dois mais agradável e pacífica agora.

Não olho mais os lados obscuros. Olharei sempre para as coisas boas que existem entre nós dois, e sei que são muitas.

Nós dois somos filhos de Deus perfeitos, cheios de boa vontade, ambos desejamos ardentemente ser felizes, queremos nos sentir bem quando estamos juntos. Levamos a vida esportivamente, sem esquentar a cabeça com as fraquezas de cada um.

Sei que só eu posso fazer a minha felicidade e a minha infelicidade, por isso não choro as mágoas, não complico a vida de ninguém, não guardo ódios e nem ciúmes. Vou em frente, cheio de alegria, mais animado que nunca, procurando criar um ambiente de paz, de concórdia e de bom entendimento entre nós dois.

Nós nos escolhemos entre milhões de seres humanos; casamos para juntar as duas metades da mesma unidade; portanto, só nós dois podemos alcançar o máximo de felicidade, de união, de harmonia e de sucesso no casamento. Então, não tenho medo de nada e de ninguém. Sou amor e irradio amor e carinho para você.

Reconheço suas qualidades, seu espírito bondoso e generoso, que teve desde que nos conhecemos, e quero fazer de tudo para que você se sinta bem na minha companhia.

Deus está abençoando e iluminando o nosso casamento. Pelo Poder Divino, que em nós habita, o milagre do amor e da felicidade está, agora, acontecendo entre nós.

Hoje é um novo dia. Mais feliz e abençoado. E todos os dias serão assim, porque Jesus nos ensinou a lei do "pedi e recebereis", porque todo aquele que pede, recebe". Assim é e assim será. Amém.

PARA REUNIR O CASAL SEPARADO

O grande Mestre Jesus ensinou que "o que é impossível aos homens é possível a Deus", por isso invoco o Poder Divino e a Sabedoria Infinita para que sejam solucionadas divinamente todas as dificuldades do nosso casamento, e aconteça logo a reconciliação, o reatamento e a nova aliança de amor, mais perfeita, mais agradável, mais durável e mais feliz.

Desfaço-me definitivamente de todos os empecilhos existentes, encho-me de boa vontade e perdão; estendo a mão para você e, pela Força Infinita, nosso casamento já está se tornando mais feliz do que nunca.

Sei que somos feitos um para o outro, portanto somente unidos é que venceremos as dificuldades e viveremos melhor e melhor.

O passado não existe, por isso não penso nele. O presente é esta verdade de amor entre nós.

Não me pergunto como isso irá acontecer. Essa é a parte de Deus.

Deus disse: "Ao invocar-me, eu ouvirei e atenderei". (Sl.90). Coloco, pois, a solução perfeita e definitiva nas mãos de Deus e sei que tudo já está divinamente resolvido.

Tenho fé absoluta que assim é e assim será. Amém.

PARA ANTES DAS REFEIÇÕES

Abençoa, Senhor, estes alimentos que vamos tomar e que sirvam para nossa saúde e bem-estar!

Que esta mesa esteja sempre farta, pelo teu poder, e tornes este momento de convivência muito alegre e agradável. Amém.

PARA ANTES DE VIAJAR

Diz a Bíblia: "Nenhum mal há de chegar perto de ti, nem a desgraça baterá à tua porta, pois o Senhor deu uma ordem aos seus anjos, para, em todos os caminhos, te guardarem". Nesta viagem, e sempre, nenhum mal há de chegar perto de mim, do meu carro e das pessoas que viajam comigo, nem a desgraça se aproximará, pois o Senhor deu uma ordem aos seus anjos para, em toda essa viagem, nos guardarem. Amém.

PARA QUEM TEM MEDO DE DIRIGIR CARRO

Invoco a Presença Divina para guiar-me, neste carro, segurar nas minhas mãos e pés, a fim de que possa ir e vir com segurança, com tranquilidade e com a certeza de que dirigirei perfeitamente.

Senhor, afasta os obstáculos do meu caminho e protege-me de todo mal.

Sinto-me calmo e dirijo com confiança e total segurança.

Assim é e assim será. Amém.

PARA LIBERTAR-SE DA DOR DE CABEÇA

Envolvo minha cabeça numa névoa de luz azul calmante e anestésica.

A calma, a paz e a justa ordem se estabelecem agora na minha mente e, principalmente, em todo o meu corpo. Minha cabeça está aliviada, os nervos estão descansando, os vasos sanguíneos funcionam tranquilamente; e eu me sinto aliviado, aliviado, aliviado, completamente aliviado.

Jesus, que prometeu aliviar-me da opressão, da dor e da sobrecarga, agora está me libertando, me aliviando mais e mais, e eu já sinto um profundo bem-estar. Assim é e assim será. Amém.

PARA TIRAR NOTAS BOAS NA ESCOLA

Pai Celestial, tu me criaste à tua imagem e semelhança, portanto, com inteligência sem limites e memória inesgotável. Ensina-me a usar corretamente minha inteligência e memória, a fim de aprender tudo o que estudo, gravar fundo na mente e lembrar sempre que preciso.

Sei que tenho a capacidade dos alunos mais inteligentes e dos gênios, por isso estudo com calma, cheio de autoconfiança e com a certeza de que, daqui para frente, tirarei sempre notas ótimas e serei muito bem-sucedido nos estudos e nos exames.

Assim é agora e sempre.

PARA PASSAR NO VESTIBULAR

Reconheço que minha inteligência e memória são perfeitas e professo a verdade de que tudo o que vi, ouvi, li e aprendi, desde a gestação até o dia de hoje, está gravado na minha mente e posso lembrar sempre que o quiser.

Reconheço, também, que a minha mente está ligada na mente de todos os professores de cada matéria escolar e na mente de todos os vestibulandos, por isso desejo que a luz dos conhecimentos cósmicos se manifestem em mim neste vestibular.

Sei que tudo o que eu pedir, com fé, alcançarei, como ensinou o Mestre Jesus; portanto, ligo-me no Poder Infinito, que há de me alcançar o sucesso total neste vestibular, que será o caminho da minha realização na vida e da minha participação na obra maravilhosa de tornar o mundo cada vez melhor.

Obrigado, desde já, Pai Celestial.

Sei que assim é e assim será. Amém.

PARA LIBERTAR-SE DO FALECIDO

Pai Celestial, reconheço que, depois desta vida, a vida continua melhor e mais perfeita. Sei, então, que este meu ente querido está realmente feliz, na tua morada, e isso me deixa tranquilo e em paz.

Não me preocupo mais com este familiar. Deixou-o contigo, Pai, e liberto-me dele, a fim de poder continuar essa caminhada, junto aos meus, com alegria total, com ânimo elevado, com muita fé e desoprimido.

Nunca mais estarei triste e saudoso. A vida é uma só em todas as dimensões e continua sempre melhor do que nunca. Não há motivo para sofrimento e nem para saudade.

Estou liberto, leve, cheio de ânimo e feliz.

Agora sou outra pessoa. Só guardo afeto e ligações mentais agradáveis do meu familiar. Nada mais me oprime.

Sinto-me maravilhosamente bem.

A vida é linda e estou muito feliz. Amém.

PARA HARMONIA NO CASAMENTO

Invoco a Sabedoria Infinita para conduzir o nosso casamento a um estado maravilhoso de harmonia e de paz.

Nós somos filhos de Deus; temos boa vontade; desejamos que a harmonia se expresse totalmente em todas as horas do dia; e pedimos ao Poder Infinito, imanente em nós, que se manifeste neste sentido, em atendimento a esta prece.

Agora já existe paz e harmonia na nossa vida conjugal e isso nos deixa muito felizes, com uma imensa vontade de estarmos sempre juntos.

Nós nos damos bem e este amor aumenta cada dia mais e mais. Amém.

PARA ENCONTRAR O AMOR DA SUA VIDA

Aceito definitivamente a verdade de que tudo o que eu desejo existe e está esperando por mim. Como desejo ter um Amor na vida, tenho certeza de que existe alguém que deseja o meu amor.

Invoco, agora, a Sabedoria Infinita, imanente nas profundezas do meu ser, para que leve estas mensagens à minha outra metade e faça com que nos encontremos em seguida e sejamos um só no amor, na felicidade, na compreensão, na bondade, no carinho; sejamos, enfim, um só coração e um só corpo.

Abro o meu coração e os meus braços, sem preconceitos e sem timidez, para receber o meu amado. Se tu chegas hoje ou amanhã, desde já estou feliz e agradecido.

Obrigado, Pai, pelo milagre do nosso amor sem fim. Amém.

PARA PROTEGER-SE CONTRA ASSALTOS

Coloco-me agora, e sempre, sob a proteção de Deus, que me defende, de dia e de noite, contra assaltos e pessoas mal-intencionadas.

"Ninguém lançará mão de ti para te fazer mal" – me diz a Bíblia e, por isso, desde já me sinto protegido divinamente.

Onde quer que eu esteja, estarei sempre cercado por um halo de luz protetora e a Presença Divina me conduzirá somente por caminhos benéficos e abençoados.

Abençoo todas as pessoas e digo-lhes que o amor de Deus nos envolve; e no amor de Deus não pode existir o mal de qualquer espécie.

Estou protegido por Deus e acompanhado pelo meu anjo da guarda. Agora e sempre. Amém.

PARA A PROTEÇÃO DA CASA

Envolvo esta casa num círculo de proteção divina. As mãos de Deus a circundam e nenhum mal pode penetrá-la.

Peço ao Pai Criador que derrame a sua luz protetora sobre toda esta casa e sei que assim é.

Nenhum mal poderá entrar, porque nada e nem ninguém pode contra Deus, que habita a minha casa e a protege. Assim é agora e sempre. Amém.

ORAÇÃO PARA EMAGRECER

Meu Deus, sei que tudo o que tu fazes é perfeito, por isso meu corpo é, na sua verdadeira realidade, perfeito, elegante, bonito, saudável, bem formado e atraente.

A Perfeição Divina se manifesta em cada célula e em cada órgão, eliminando tudo o que é desnecessário e prejudicial. Só permaneça o corpo enxuto, elegante, magro, bem organizado e saudável.

Assim é e assim será, pelo Poder Divino. Amém.

ORAÇÃO DO JOVEM

Meu Deus, estou na quadra da juventude, da vitalidade, do vigor, do idealismo, dos sonhos e dos desejos de grandeza, amor e sucesso. Isso tudo é maravilhoso e sei que tu me fizeste assim para usar esta poderosa força interior e física a fim de construir uma vida útil, benéfica e grandiosa.

Sigo em frente, com fé e coragem, porque tu me guias e me abre os caminhos da minha realização total.

Jogo fora a timidez, o medo e a falta de vontade.

Levanto a cabeça; olho a vida com entusiasmo e tenho agora certeza de que alcançarei os meus elevados objetivos.

Sou forte, cheio de saúde, cheio de força de vontade, dono de mim mesmo, por isso ninguém e nem nada me influenciará para os descaminhos das drogas, dos vícios e das desgraças.

Eu tenho Deus dentro de mim, que é a força mais poderosa

e criadora do mundo, por isso não me preocupo com a opinião dos outros. Ninguém tem poder sobre mim.

Eu sou um sucesso. Meu coração está iluminado de amor: Irradia amor e recebe muito amor. Tenho muitas amizades positivas e benéficas.

Estou vivendo intensamente a minha juventude, construindo o meu mundo maravilhoso e caminhando para o futuro mais lindo que já imaginei.

Assim é e assim será, pelo Poder Infinito, existente em mim. Amém.

ORAÇÃO PARA DEIXAR OS TÓXICOS

Sei que Deus está em mim e, portanto, eu e Deus, somos a Força mais poderosa do mundo, contra a qual nada e nem ninguém pode, muito menos a droga e os tóxicos.

Invoco a Força Infinita, que tenho dentro de mim, e determino que estou definitivamente livre do tóxico. Não tenho mais nenhum interesse, nenhum desejo, nenhuma vontade disso aí e ninguém me convencerá a usar drogas de qualquer espécie.

Não é pela minha força de vontade que estou livre, mas pelo Poder Divino, imanente em mim, daí que me livrei desse mal sem sacrifícios e sem sofrimentos.

Livrei-me desses hábitos nocivos tão facilmente como o faço para descalçar um sapato.

Nada resiste ao Poder Infinito, que habita o meu interior.

Agora sou outra pessoa. Sou livre. Sou saudável. Sou forte.

Recomeço a minha vida com entusiasmo e sou guiado divinamente para um trabalho, para a realização dos meus sonhos maiores.

Hoje eu sou um vencedor. Hoje e sempre. Amém.

ORAÇÃO PARA NÃO SER VÍTIMA DA DROGA

Invoco a Sabedoria Infinita, que existe em mim, para me orientar divinamente nos passos e decisões da minha vida. Esta Sabedoria sabe tudo sobre as intenções dos outros e, por isso, já me defende e me livra de todo mal.

Sei que Deus sempre me ouve e me atende, como diz a Bíblia: "Ao invocar-me, eu ouvirei e atenderei".

É por isso que sigo a minha vida tranquilo, seguro de mim, autoconfiante e superior a qualquer investida negativa.

Só eu mando em mim e ninguém mais. Eu e Deus. Portanto, eu e Deus somos a Sabedoria Infinita e o Poder Infinito, de tal forma que, contra mim, ninguém pode.

Cada dia estou melhor e melhor em todos os sentidos.

Obrigado, Pai, porque tu ouviste a minha oração.

Sou feliz e realizado. Hoje e sempre. Amém.

PARA SER BEM-SUCEDIDO NO NAMORO

Ligo-me no Poder Infinito e na Sabedoria Infinita para que me conduzam pelos caminhos das amizades, da convivência feliz, do namoro bem-sucedido, até encontrar a pessoa que preencherá todos os espaços do meu coração, com a qual serei feliz, feliz, muito feliz na vida, para sempre.

Desde já abro o meu coração. Não tenho preconceitos e nem medo de nada, porque Deus me ilumina e me orienta.

Estou sempre radiante, feliz e cheio de amor. Amém.

PARA UNIÃO NA FAMÍLIA

Deus Criador, que fizeste tudo perfeito e que criaste a família na unidade do amor, reforça os laços que nos unem, a fim de que, cada dia, todos sejamos mais unidos, mais amorosos, mais compreensivos, mais carinhosos, mais bondosos, mais pacientes, mais tolerantes, mais agradáveis e mais alegres.

Obrigado, Pai, por este milagre maravilhoso de paz, amor e união, que está acontecendo entre todos nós, que fomos feitos um só, nesta família que nos deste. Amém.

ORAÇÃO DO AMOR

Mergulho no Sol Divino do AMOR, cuja energia vital criou todos os seres existentes no universo e vejo-me como Realidade

Amorosa desta Força Infinita.

Recebo, agora, a energia doirada do AMOR DIVINO e sinto-a vibrando em meu ser, impregnando o meu ser, iluminando o meu ser.

Deixo que a explosão criadora do mundo aconteça em mim, neste instante, e renove, revitalize e energize meu corpo, minha mente e meu coração.

Eu sou AMOR, AMOR, todo AMOR!

Eu sou eterno, porque o AMOR é eterno.

Eu sou feliz, porque o AMOR é felicidade.

Eu sou forte e poderoso, porque o AMOR é energia infinita e todo-poderosa.

Pai Criador, Sol do AMOR que me aquece e ilumina, obrigado pelo mundo ilimitado de amor que criaste em mim e que, de mim, se irradia agora, mais potente do que nunca, para todos os seres.

E todos os seres humanos, principalmente os que vivem na minha órbita, estão agora incandescidos pela energia doirada do meu amor e todos me amam, gostam de estar em torno de mim e bendizem a minha presença.

Permanece sempre em mim, ó Sol Divino, Amor Infinito, que és a Vida da minha vida, Força da minha força, Amor do meu amor, Luz da minha luz, Energia da minha energia, Saúde da minha saúde, Divindade da minha divindade. Amém.

ORAÇÃO DA PAZ

Glória a Deus nas alturas e paz na terra a mim, que sou uma pessoa cheia de boa vontade.

Desejo que a paz me envolva plenamente.

A paz é a libertação da mente e do coração.

Jogo fora as obsessões, os negativismos, as opressões e tudo o que me perturba. Jogo fora definitivamente, porque agora me ligo no Poder Infinito, existente em mim, que me defende, me envolve, me ilumina os passos e me alcança tudo o que eu quiser. Assim sendo, deixo a minha mente vazia, límpida, positiva e iluminada. Isto é paz de espírito.

A paz é a saúde da mente.

Estou em paz: Estou saudável.
Assim é agora e sempre.

PARA NÃO TER MEDO DOS ANIMAIS

Deus, Pai Criador, tu criaste o universo e todos os seres na mais perfeita harmonia e comunhao de amor; tu me colocaste, ao fazer-me à tua imagem e semelhança, como rei da criação, portanto reconheço que devo amar todos os animais e reconheço que todos os animais e aves estão sob as minhas ordens benévolas e corretas. É por isso que, desde hoje, vou amar cada vez mais os animais, pois cada um tem uma missão a cumprir dentro da ordem divina e cósmica.

Como rei da criação, devo colocar ordem nos seres inferiores que estejam prejudicando, mas sempre reconhecendo que são criaturas de Deus e que não têm compreensão maior, como eu tenho.

Irradio amor para todos os seres do mundo e determino que nenhum me cause dano. Só existe amor entre nós e o amor é a mais perfeita comunhão universal.

Assim é e assim será.

PARA PERDER O NOJO POR CERTOS BICHOS

A partir de hoje verei em cada ser do universo, por mais minúsculo ou estranho que seja, uma criatura de Deus, feita com capricho, com inteligência, de forma a cumprir uma missão benéfica ao homem na terra.

Não existem animais nojentos: Isto é coisa da minha cabeça negativa. Nenhum ser da criação divina merece o meu desdém.

Sim, criaturinhas lindas, agora olho vocês com olhos límpidos, contemplando os detalhes incríveis de beleza e perfeição com que foram dotadas: As patinhas mimosas; as asas coloridas ou reluzentes; o bico ou focinho mimoso; os pelos coloridos, raros ou densos; as orelhas idealizadas com perfeição; as antenas fantásticas, mil anos na frente das nossas naves espaciais; enfim, contemplo vocês com a mente límpida, liberta, infantil.

Sempre que sentir algum sentimento negativo em relação a qualquer criatura de Deus, rezarei esta oração até mudar o meu entendimento e os meus sentimentos. Assim é e assim será. Amém.

PARA VENCER O ESTRESSE

Se a minha mente estiver em paz e o meu corpo saudável recebendo o repouso merecido após as jornadas de trabalho, não terei estresse.

Eu amo a mim mesmo, como primeiro mandamento da vida, por isso, desde hoje, deixo minha mente liberta, tranquila, em paz, e o meu corpo saudável e harmonioso, dando-lhe o descanso necessário, o alimento indispensável e a liberação das tensões carregadas.

À noite, relaxo a mente e o corpo, durmo tranquilamente, sem comprimidos, de acordo com a reta ordem divina, e, de manhã, acordo cheio de energias e feliz da vida.

Faço o meu trabalho com gosto e gosto do meu trabalho. Não me preocupo nunca mais, porque agora eu sei que existe um Poder Divino em mim, que tudo me alcança.

Vivo a minha vida a favor da correnteza, portanto, sem tensões e sem desgastes necessários.

Deus me conduz, me orienta e realiza os meus desejos.

Sinto-me liberto, saudável, alegre e cheio de energias. Assim é e assim será. Amém.

PARA SER TOLERANTE

Sei que, na vida, não existe a mesma ordem e nem o mesmo estágio de compreensão na mente das pessoas, daí que agora me conscientizo de que devo ter paciência com os outros e preciso ser tolerante.

Faço como eu penso e creio, mas aceito os outros como são. Se puder ajudar alguém a sair de sua fase inferior, faço-o com carinho e com simplicidade.

Já que ninguém pode me perturbar a não ser eu mesmo –

porque só acontece em mim o que aceito na minha mente – não há porque não ser tolerante. Sim, de hoje em diante serei muito compreensivo, paciente e tolerante.

E, assim, todos gostarão muito mais de mim.

Deus é a minha luz e a minha força em todas as situações. Assim é e assim será. Amém.

ORAÇÃO PARA PAGAR TODAS AS DÍVIDAS

Pai Criador, que me deste o universo como herança, abre-me a fonte da riqueza infinita para que agora mesmo eu comece a pagar todas as dívidas e mergulhar na abundância sem fim.

Sei que todo o pedido, feito com fé, obtém o resultado, como ensinou Jesus, por isso este meu pedido, para que todas as minhas contas sejam pagas divinamente, já está sendo atendido.

Coloco-me sob a orientação divina. Sigo as instruções de Deus e vou pagando corretamente tudo o que é devido aos outros, pois o que é dos outros não me pertence e nem me faz falta, já que a abundância infinita jorra sobre mim como uma chuva torrencial.

Afasto de mim, para sempre, a tentação do medo de passar necessidade, de empobrecer, de diminuir meu patrimônio caso pagar as dívidas.

Quanto mais pago, mais recebo, crendo na lei de que é dando que se recebe. Assim é, porque assim como penso, acontece.

Obrigado, Pai de riqueza inesgotável, pela riqueza imensa que vem vindo a mim a cada dia, de tal forma que digo a todos, com alegria, que já estarei pagando tudo corretamente. Tenho fé inabalável.

Minha maré está mudando e a riqueza está jorrando para mim. Vejo todas as contas, as duplicatas, as promissórias, as letras, desde já pagas e os cheques assinados, tudo na maior perfeição. Assim é e assim será. Amém.

ORAÇÃO PARA LIBERTAR-SE DO PASSADO

Aceito a verdade de que o passado não existe, assim como o futuro não existe.

Não há passado para esquecer, porque não tem fundamento esquecer o que não existe.

Não aceito pensamentos negativos do passado. Jogo-os para longe de mim, como praga.

Eu sou o que sou agora e festejo o milagre de um novo dia, completamente novo e diferente, que o encho de alegria, de amor, de saúde, de sucesso, de felicidade e de bens infinitos.

Bato a porta a todo pensamento negativo que queira retroceder a vida. Está tudo perdoado, em nome de Deus.

Agora é vida nova. Estou nascendo de novo, com a mente em branco, límpida, positiva e iluminada.

Assim é agora e sempre. Amém.

ORAÇÃO PARA TER MAIS FÉ

A fé – me ensinou Jesus – é crer firmemente na realização da minha palavra, da minha prece, do meu desejo.

A fé é uma lei, portanto nem posso duvidar de que, se coloco corretamente as premissas dessa lei, o resultado acontece infalivelmente.

Conheço muitas leis e acredito firmemente nelas como, por exemplo, as leis da física, da química, da astronomia, da eletrônica, da mecânica, da matemática e, por uma lógica muito simples, não posso deixar de acreditar também na lei da Fé.

Digo para mim mesmo, com convicção absoluta, que toda a palavra acreditada acontece, que todo pedido acreditado acontece, que toda oração simples e unívoca é infalível. Isto é fé.

Muitas coisas já me aconteceram por esta mesma lei e quero que os exemplos sejam uma força a mais para reforçar a minha fé.

Senhor Jesus, aumenta a minha fé. Torna-me clara e fácil a compreensão dessa lei grandiosa. Amém.

ORAÇÃO DO IDOSO

Antes de tudo, Senhor, dá-me compreensão para jogar para longe de mim palavras nefastas e negativas, como velhice, esclerose, caducidade, entrevamento, inutilidade.

Eu sou filho de Deus perfeito. Minha mente está ligada na Mente Infinita, portanto, minha inteligência e minha memória não têm limites e cada dia ampliam a sua dimensão.

Eu sou a minha vida; a minha vida é o meu espírito; e o meu espírito está ligado no Espírito Santo, que existe dentro de mim. Portanto, tudo o que é negativo é superstição.

A Luz Divina me ilumina e a luz que ilumina a minha mente positiva, ilumina o meu corpo, dando-lhe condições para o bom funcionamento da minha mente ilimitada e grandiosa.

Como a Fonte da Vida está em mim, devo reconhecer que a fonte da juventude também está em mim.

Agora, com a mente lavada, liberta de preconceitos, sinto-me uma pessoa lúcida, de maravilhoso discernimento, portadora de imensa e valiosa bagagem de conhecimentos, experiências e sabedoria, por isso hoje sou muito mais útil à humanidade e ao mundo do que antes.

Vivo a vida feliz.

Festejo a sabedoria extraordinária do Criador que fez a vida perfeita em todas as etapas: Na juventude, deu-me mais espaço físico para percorrer em menor espaço mental; na idade mais longa, deu-me menor espaço físico e maior espaço mental para percorrer. Daí que, em qualquer idade, há igualdade, porque um espaço é compensado pelo outro.

Maravilha das maravilhas.

Quero, desde agora, viver, nos meus espaços grandiosos, uma vida linda, abençoada, frutuosa, criativa, próspera, útil e feliz. Assim é e assim será. Amém.

ORAÇÃO DA CRIANÇA

Eu estou muito contente, querido Papai do Céu, porque estou vivo, porque estou crescendo com saúde, porque tenho papai e mamãe que me amam muito, porque tenho comida e casa para morar. Estou feliz, porque tu criaste as flores, os animais, as aves do céu, as estrelas, o sol, a lua, os rios, os lagos com os peixes, as montanhas, as florestas, o mar, a areia, as pedras e as rochas; estou faceiro demais, porque existem tantas canções bonitas, tanta música, tantas pinturas, tantas estátuas grandiosas; estou bem alegre, porque as pessoas gostam de mim, me ensinam tantas coisas importantes e procuram me orientar na vida.

Papai do Céu, eu quero ser sempre alegre, bonzinho, obediente, estudioso, inteligente, forte, sadio, positivo e cheio de amor.

Papai do Céu, me faz crescer cheio de saúde e feliz. Me dá uma força para estudar e progredir na vida.

Obrigado por tudo, Papai do Céu. Amém.

ORAÇÃO DA CRIANCA QUE SÓ TEM MÃE

Meu bom Papai do Céu, estou muito contente porque tu me deste uma mãe tão querida, que gosta de mim, me dá comida e roupa, me faz dormir amorosamente, cada dia cuida de mim e sempre me dá as coisas que eu preciso.

Papai do Céu, dá muita saúde para mamãe, porque eu quero que ela fique sempre comigo.

Eu amo muito minha mamãe e guardo ela bem aqui no coração.

Às vezes eu choro, sou meio teimoso e coisa e tal, mas eu amo demais minha mamãe e quero ser sempre obediente, atencioso e vou ajudá-la muito para que ela não precise trabalhar tanto.

Papai do Céu, eu quero te dizer que és meu verdadeiro papai. Por isso, não sinto falta de ninguém. Sei que tu cuidas de mim. Tenho certeza que tu me proteges e dás um jeito nas coisas que me faltam.

É por isso que eu sou muito feliz, vivo tão contente, e digo que a vida é tão bonita. Amém.

ORAÇÃO PARA HARMONIA ENTRE OS IRMÃOS

Meu Deus, tu fizeste o universo tão bonito, tão harmonioso e criaste todas as criaturas para viverem em paz, neste mundo de amor e de interação maravilhosa. Além disso, criaste a minha família, para que esse amor e essa união começasse de um círculo menor e se expandisse para o grande cosmo. Reconheço, com alegria, que só deve existir amor, fraternidade, solidariedade, carinho e compreensão entre eu e meus irmãos e tudo estou fazendo para que seja assim de fato.

Respeito cada irmão como é, com o seu jeito e com seus defeitos, porque , afinal, eu também tenho os meus defeitos. Mas, acima de tudo, há, entre nós, uma união muito forte e o sangue, isto é, os laços de família falarão sempre mais alto em qualquer dificuldade.

Este amor e união permanecerão sempre, onde quer que cada um esteja.

Ensina-me, Deus Pai, a ser compreensivo, a ser tolerante e paciente!

Dá-me calma para que a gente sempre se dê bem.

É tão bom e tão importante a gente ter uma família onde se reunir para encontros cheios de afeto, de harmonia e de bom entendimento. Assim é que te peço, Senhor Deus, o bem da minha família, e estou certo que, acima de tudo, sempre existirá amor, união, harmonia, concórdia, paz, mútua ajuda e imensa alegria de convivência. Assim é e assim será. Amém.

ORAÇÃO PARA A LIBERTAÇÃO DOS MEDOS

Deus habita o meu interior e onde está Deus não existe nenhum medo, porque a luz sempre espanta as trevas. Medos são trevas, que tentam perturbar. Mas, a mim nunca perturbarão, porque só existe Luz na minha vida.

Eu sou forte e poderoso, vencedor do mal, porque Deus está em mim e eu e Deus somos a força mais poderosa do universo.

Um círculo luminoso de proteção divina me envolve e nenhuma vibração maléfica ou mal-intencionada conseguirá penetrar este círculo divino, que me circunda.

Agora sou forte, invencível.

Deus está em mim. Como ninguém pode contra Deus, ninguém pode contra mim.

É maravilhoso ter esta compreensão.

Sinto-me feliz e liberto. Amém.

PARA LIBERTAR-SE DO MEDO DA POBREZA

Eu sou filho de Deus, por isso a riqueza do universo me pertence.

Jamais poderá faltar-me alguma coisa. Pelo contrário, uso cada dia o Poder Infinito, imanente em mim, para fazer jorrar riquezas inesgotáveis na minha vida.

A abundância divina é a minha abundância, portanto sempre haverá riqueza inesgotável em todos os anos da minha vida. Assim é e assim será.

PARA LIBERTAR-SE DO MEDO DAS DOENÇAS

Sei que Deus me fez forte, grande, saudável, poderoso, infinitamente superior a qualquer doença, a qualquer vírus, bacilo, micróbio, bactéria, que são seres inferiores, sempre sob o meu comando superior.

Nas dificuldades de saúde, proclamo que existe um Poder Curador Infinito dentro de mim, que desfaz o mal e recupera completamente a saúde.

Minha mente é positiva e meu corpo é saudável.

As forças positivas são sempre superiores às negativas, portanto, não tenho medo de doenças, mesmo porque meu corpo é templo do Altíssimo e este templo é são. Amém.

ORAÇÃO CONTRA O MEDO DE DESEMPREGO

Sei que todo o ser humano, criado por Deus, tem o seu lugar na terra e uma grandiosa missão a cumprir. Portanto, meu lugar está sempre esperando por mim.

Trabalho com alegria, com fé, com pensamento positivo, com ânimo, com boa vontade, com inteligência, com capacidade, com criatividade. É claro que uma pessoa, com tantas qualidades assim, só pode ser procurada, desejada e ter empregos sempre melhores com melhores resultados. Sou positivo. Amém.

ORAÇÃO CONTRA O MEDO DA NOITE E DA ESCURIDÃO

Meu Deus, devo confessar que tudo o que tu fazes é perfeito e benéfico, inclusive a noite e a escuridão.

A noite é o doce e suave manto da paz divina sobre a humanidade, para que se possa dormir tranquilo o sono reparador das energias.

Onde quer que eu esteja à noite, seja em casa, na rua, viajando, nas reuniões, à beira do rio ou do lago, nunca estou sozinho, porque Deus está em mim e comigo. Eu e Deus, que está comigo, somos mais do que um exército bem armado. Daí que sempre me sinto bem, tanto de dia como de noite.

Peço sempre a proteção divina e a guarda dos meus anjos protetores, e sei que sempre estão comigo, afastando qualquer mal e me protegendo.

Sinto-me agora desafogado, liberto e tranquilo. Assim é e assim será. Amém.

ORAÇÃO CONTRA O MEDO DA SOLIDÃO

Deus está em mim, meu anjo da guarda está ao meu lado, meus santos e guias protetores estão em minha companhia, portanto sinto-me muito bem acompanhado na vida.

Mesmo que eu more sozinho, estou sempre na minha boa

companhia, e isso me deixa em paz e alegre. Amém.

ORAÇÃO PARA DESFAZER O MEDO DA MORTE

A minha vida procede da Vida, por isso a minha vida sempre é. Não existe a morte. Só existe a Vida em mim.

Jesus, tu que disseste: "Vim para que tenham vida e vida em abundância", põe esta verdade na minha mente consciente e subconsciente e irradia a tua luz sobre o meu caminho, de tal forma que eu só veja a estrada da vida, das realizações e do meu progresso espiritual, mental e material, aqui na terra.

Envolvo-me na vida e peço ao Poder Infinito, que tudo me alcança, uma longa vida, feliz, saudável, abençoada, abundante e cheia de amor.

Como a Lei do Pedir já encerra o recebimento, agradeço desde já, porque assim é e assim será. Amém.

ORAÇÃO CONTRA O MEDO DE ACIDENTES

Pai Celestial, tu és o meu guia e protetor em todas as circunstâncias, principalmente nas viagens.

Cada vez que saio de casa, coloco-me sob a tua proteção divina, e tenho certeza absoluta de que vou e volto em perfeito estado de saúde, feliz e divinamente guardado. Amém.

ORAÇÃO PARA LIBERTAR-SE DO MEDO DA SEPARAÇÃO NO CASAMENTO

Pai, tu, quando uniste homem e mulher, os fizeste um só, portanto, peço que se realize em nós um casamento unido, indivisível, estável, agradável, alegre, abençoado, cheio de amor e de felicidade. Assim é e assim será. Amém.

PARA LIBERTAR-SE DO MEDO DA TRAIÇÃO DO MARIDO OU ESPOSA

Meu Pai Celestial, antes de tudo dá-me a compreensão de que não existe traição; existe apenas a falha, a fraqueza, o atrativo da novidade, o impulso de uma nova experiência. Por isso, meu Deus, dá-me lucidez suficiente para não levar a sério os pequenos acontecimentos negativos da nossa vida conjugal. Faze com que brilhe sempre, acima de tudo, a boa vontade, o espírito tolerante e o amor que nos envolve, e que nada, nem ninguém, poderá destruir.

A essência do casamento é o amor e este amor, enquanto existir em mim, ou nele (a), ou em nós dois, jamais poderá desaparecer do nosso casamento. Como o nosso amor nunca pode acabar, nosso casamento jamais acabará. E estará cada dia mais forte e mais vívido.

Limpo a minha mente de todo medo e inundo-a de luz, de amor, de harmonia, de união, de bom entendimento, de compreensão, de carinho e de felicidade. Assim é agora e sempre. Amém.

ORAÇÃO CONTRA O MEDO DE FRACASSAR NO NEGÓCIO

Coloco agora o meu negócio, o meu empreendimento, a minha empresa, sob a orientação divina. Daqui para frente, Deus guiará este negócio, trazendo os melhores clientes, iluminando a minha mente nas compras e vendas, orientando-me nas decisões. E, assim, cada dia vou progredir mais e mais, ajudando desta forma, a tornar o mundo melhor e mais confortável. Assim é e assim será. Amém.

ORAÇÃO CONTRA O MEDO DE SE APRESENTAR EM PÚBLICO

Meu Deus, agora faço um reconhecimento, diante de mim mesmo, e de todas as pessoas do mundo, de que eu sou filho de Deus perfeito, cheio de qualidades e dons, muito inteligente, com ótima memória, dotado de capacidade superior, possuidor de vitoriosa criatividade, e isso me deixa confortável, seguro de mim e autoconfiante em todas as oportunidades que tenho o privilégio e o prazer de me apresentar em público.

Cada vez que me apresento publicamente, fico consciente de que todas as pessoas presentes gostam de me ouvir, adoram o que vou fazer, e se ligam na minha aura positiva, cheia de empatia e simpatia. Assim, é claro que eu sou sempre sucesso em todas as apresentações.

Entro em cena sempre calmo, em relax, seguro de mim, contente, irradiante, com lucidez total, memória inquebrantável, e a Força Divina agindo em mim.

Eu sou um sucesso. Sim, um grande sucesso. Assim é agora e sempre. Amém.

ORAÇÃO PARA PERDER O MEDO DE VENDEDOR

Por esta oração, preparo-me espiritual e psicologicamente para as visitas de hoje. Conscientizo-me de que o meu produto é útil, importante, benéfico, desejado.

Irradio paz, amor, saúde e progresso à pessoa à qual vou oferecer o produto.

Sinto-me sempre à vontade, porque todos somos um no universo e sou acolhido com a mesma simpatia que irradio para o comprador.

Sou sempre correto nos negócios, falo a verdade, clarifico as qualidades existentes, procuro ser claro, conciso, brilhante como o sol que ilumina alguma parte ainda escura, e procuro reconhecer, a cada minuto de conversa, que o tempo da pessoa que está me ouvindo é muito precioso.

Em todos os momentos, porei em prática o ensinamento do Mestre, que me diz: "Faze aos outros o que tu queres que os outros façam a ti".

Assim, estou certo de que todos me recebem com enorme simpatia, sintonizam comigo, e minhas vendas subirão alto como um foguete.

Rezo sempre esta prece e me sinto agora outra pessoa, alegre e positivo, como quem vai a uma festa de confraternização. Assim é e assim será, pelo poder de Deus em mim. Amém.

ORAÇÃO DO LADRÃO

Jesus, tu que morreste cercado por dois ladrões, ajuda-me a ser como o bom ladrão, a quem tu prometeste o paraíso, porque ele se compadeceu de ti.

Olha, eu tenho bom coração, eu tenho bom sentimento, eu tenho amor dentro de mim.

Eu roubo para sobreviver.

Sim, reconheço que estou agindo mal, porque se todos roubassem para sobreviver, todos morreriam de fome e o mundo seria insuportável.

Sei que todas as tuas leis são infalíveis, como, por exemplo, a Lei do Retorno, pela qual todo o bem que faço retorna a mim e todo o mal que eu faço, acontece em mim e retorna a mim, multiplicado. Assim sendo, se eu roubo, sou roubado e, então, por esse caminho, nunca resolverei o problema.

Ajuda-me, então, Senhor, a deixar este caminho errado e mostra-me o caminho certo que eu devo seguir, para ganhar dinheiro corretamente e ter abundância na minha casa.

Eu quero ter uma vida confortável, com comida e roupa à vontade, e com bastante dinheiro para as minhas necessidades.

Tu ensinaste a lei do "pedi e recebereis, porque todo aquele que pede, recebe". Pois, então, eu estou pedindo uma vida limpa, honesta, um trabalho útil, onde vou agir corretamente; estou pedindo também sucesso financeiro, mesa farta, conforto material, casa para morar e condições materiais para ter uma vida digna e alegre, junto com os meus.

Sei que o teu Poder não falha, por isso, desde já, estou agradecido.

Sinto que estou crescendo de novo e tenho certeza de que agora, sim, minha vida mudou e eu estou progredindo cada vez mais.

Eu tenho inteligência, capacidade, tenho dons, tenho criatividade, tenho força de vontade e tenho Deus dentro de mim, que é a minha força superior, que tudo me alcança. Por isso, estou feliz e mudado.

Não tenho medo dos que não querem que eu saia desse caminho. Peço que Deus ilumine a eles, mas eu sou outra pessoa e sou protegido e guiado divinamente. Assim é e assim será. Amém.

ORAÇÃO DO BANDIDO

Senhor Jesus, tu me criaste à tua imagem e semelhança, mas eu sou bandido, sou violento, pratico maldades contra as pessoas e já tenho matado pessoas.

Sei que depois eu me arrependo, mas não tem jeito.

Sim, sim, está bem, reconheço que tem jeito, porque eu sou filho de Deus e Deus jamais criaria alguém à sua imagem e semelhança e ao mesmo tempo mau, irrecuperável, violento, assassino.

Mas, como é que eu faço para sair dessa definitivamente? Porque sair eu quero, principalmente quando vou parar na cadeia, mas sou fraco e acabo cometendo o mal de novo.

Não, não sou mau por natureza, porque sou filho de Deus e nenhum filho de Deus é mau.

Reconheço que esse caminho só me dá problemas e sofrimentos. Não me enriquece, porque não tenho nada; não me faz feliz, porque estou sempre fugindo da polícia e da cadeia; e sei que o meu destino, se continuar assim, será o mesmo dos meus companheiros: O cemitério, com um monte de balas ou de facadas no corpo. Porque existe uma lei irresistível, pela qual, tudo o que se faz, se recebe; quem com ferro fere, com ferro será ferido; quem mata, é matado; quem violenta, é violentado. E ninguém escapa a essa lei.

Então, que estou fazendo nesse beco sem saída?

Sim, mas estou pensando que não sei fazer mais nada e, além disso, ninguém confia em mim.

Mas, Deus confia em mim e tem o poder de resolver o meu caso.

Jesus disse: "O que é impossível aos homens é possível a Deus". Pois, então, Jesus, torne possível o milagre pelo qual mudo de vida, torno-me cidadão honesto e honrado, adquiro gosto pelo trabalho, ganho bastante dinheiro honestamente, progrido cada dia mais e me torno rico pelo caminho certo e verdadeiro.

Já que pelo outro caminho nada consegui, vou entrar nesse teu caminho, meu Deus. Coloco minha vida e meu sucesso nas tuas mãos.

Sei que muitos puderam; eu também posso.

Não haverá ninguém que me fará voltar atrás: Nem ameaças, nem traficantes, nem exploradores, nem companheiros, ninguém. Deus está em mim e eu e Deus somos a Força mais poderosa do mundo, contra a qual nada e nem ninguém pode.

Estou feliz desde já e peço a Deus que me alcance um trabalho honesto, que me renda muito dinheiro; me dê um grande Amor na vida; me alcance, também, a saúde; me cerque de amizades boas e agradáveis.

Agora estou melhor do que nunca.

Eu sou outra pessoa, porque sou filho de Deus perfeito.

Assim é e assim será. Amém.

ORAÇÃO DA VIÚVA

Pai Celestial, obrigada porque tu me criaste individual, independente, filha de Deus perfeita, capaz de ser feliz em mim mesma, por isso agora me sinto em paz, cheia de vida e estou numa boa.

Sei que meu marido está na tua morada, melhor do que nunca, por isto sigo a minha vida com alegria, festejando cada dia como um milagre abençoado. Deixo, pois, ele contigo, Pai, e não remoo mais o passado. Troco de pensamento em seguida e me volto para a alegria de viver, para os meus entes queridos que aqui estão, para a realização dos meus objetivos na vida. Estou em paz, feliz, cheia de vida e saudável. Amém.

OBRAS RECENTES QU

VOCÊ CONSEGUE

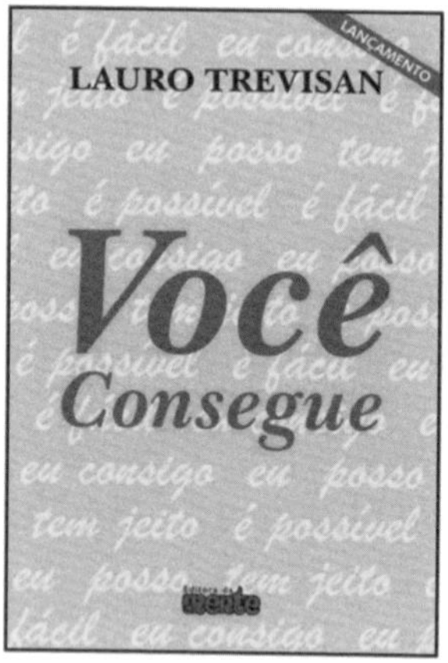

Lançado no final de 2012, este livro, de Lauro Trevisan, é vigoroso reforço à sua convicção de que nada poderá barrar seus sonhos e seus desejos de saúde, felicidade, riqueza e bem-estar. De estilo leve e agradável, mostra como ativar suas qualidades e poderes adormecidos, para conseguir seus objetivos na vida.

Muitos talentos morrem no nascedouro, ou no meio do caminho, porque as pessoas desanimam, não encontram uma luz, não sabem o que fazer para conseguir superar as dificuldades.

Você Consegue até parece irmão gêmeo desse livro que acabou de ler.

Invista em si mesmo, peça esse livro, tão necessário diante das vozes negativas que você encontra em seu dia a dia. Recomendamos de coração.

OCÊ PRECISA LER

TUDO TEM SOLUÇÃO

Esta obra, lançada em novembro de 2013, tem suscitado imenso interesse e curiosidade, porque geralmente as pessoas acham que há situações sem solução. Mas, Lauro garante e afirma e prova claramente que *tudo tem solução*. Duvide, mas seja curioso. Na contracapa do livro, lê-se: "Sempre existe um caminho, sempre há uma ponte, sempre encontrará uma receita milagrosa, sempre haverá uma prece atendida, sempre lhe será colocada uma escada. *Tudo tem solução.* Também seu caso. Com certeza. Pode duvidar ou descrer, mas leia este livro, resultado de uma longa trajetória de conhecimentos e experiências de Lauro Trevisan".